# ¡PÓNGASE EN FORMA!
## SIN IR AL GIMNASIO

## ACONDICIONAMIENTO
## FÍSICO TOTAL

# ¡PÓNGASE EN FORMA!
## SIN IR AL GIMNASIO

# ACONDICIONAMIENTO FÍSICO TOTAL

- **48 ejercicios paso a paso**
- **120 rutinas personalizadas**

SCOTT TUDGE

ANIMAE

UN LIBRO DE READER'S DIGEST
Copyright © 2010 Quarto Inc.

Importado, publicado y editado en México en 2011 por /
Imported, published and edited in Mexico in 2011 by:
Advanced Marketing, S. de R.L. de C.V.
Calz. San Fco. Cuautlalpan No. 102 Bodega D,
Col. San Fco. Cuautlalpan, Naucalpan,
Edo. de México, C.P.53569

Título Original / Original Title: ¡Póngase en forma!
Sin ir al gimnasio. Acondicionamiento físico total /
Ditch the gym. Get fit for free! The complete guide to
fitness routines you can do at home

Traducción: Samantha Caballero del Moral

Fabricado e impreso en China en Julio de 2011 por /
Manufactured and printed in China on July 2011 by: Shanghai
Offset Printing Products Ltd, Flat 3, 3/F, Cheong Lee Building,
206-208 Tsat Tse Mui Road, North Point, Hong Kong, China

**QUARTO**
**Jefe de edición** Ruth Patrick
**Editora de arte** Emma Clayton
**Diseñadoras** Tanya Devonshire-Jones, Susi Martin,
 Sally Bond, Jo Bettles
**Fotografías** Phil Wilkins
**Modelos** Owen Bentley, Jenny Doubt, Hazel Englander,
 Rufina Natusch, Scott Tudge
**Revisor de pruebas** Clare Hubbard
**Índice** Helen Snaith
**Directora de arte** Caroline Guest
**Directora creativa** Moira Clinch
**Editor** Paul Carslake

**READER'S DIGEST**
**Edición del proyecto en EE.UU.** Siobhan Sullivan
**Administradora de la edición del libro en inglés, Reader's
Digest Canadá**
 Pamela Johnson
**Edición del proyecto en Canadá** Jesse Corbeil
**Diseñadora del proyecto** Jennifer Tokarski
**Director jefe de arte** George McKeon
**ditor ejecutivo, Trade Publishing** Dolores York
**Editor asociado, Trade Publishing** Rosanne McManus
**Presidente y editor, Trade Publishing** Harold Clarke

ISBN: 978-607-404-568-0

**NOTA A NUESTROS LECTORES**
La información en este libro no pretende sustituir el consejo de
un médico ni debe usarse para alterar ningún tipo de terapia
médica sin antes hablar con su doctor. Para un problema
específico de salud, consulte a su médico.

Consulte a su médico antes de intentar cualquiera de las
rutinas de ejercicios que figuran en este libro.

11 10 9 8 7 6 5 4 3 2 1

# Contenido

# Introducción

Después de pasar cada minuto libre de mi niñez y adolescencia haciendo deportes y ejercicio, decidí dedicar el resto de mi educación a las ciencias del deporte y el ejercicio. Ahora, después de diez años de ser instructor y entrenador personal, puedo decir con toda certeza que mi trabajo me apasiona. La parte más satisfactoria es poder ayudar a la gente a lograr sus objetivos y ver los cambios positivos que el ejercicio ha tenido en sus vidas y en las de las personas cercanas a ellos.

Este libro se me ocurrió cuando me di cuenta de que la gente estaba dejando de ir al gimnasio para ahorrar dinero. Para algunas personas este fue un cambio positivo, ya que empezaron a realizar nuevos deportes y actividades. Por desgracia, para muchos otros esto significó el fin de las rutinas estructuradas de acondicionamiento y una rápida regresión en sus niveles generales de salud y condición física. En la gran mayoría de los casos, esto no ocurrió por una falta de motivación, sino por una falta de conocimiento acerca de cómo realizar rutinas de ejercicios de buena calidad sin el costoso equipo al que solían tener acceso.

Este libro crea un vínculo directo con el equipo de ejercicio de los gimnasios, y le muestra ejercicios que replican los movimientos y niveles de dificultad sin necesidad de utilizar el equipo. Es decir, podrá realizar las rutinas que solía realizar en el gimnasio, y más, en su propio hogar y a una fracción del costo.

## Generalidades del libro

**El libro cuenta con una amplia gama de ejercicios dirigidos a distintas partes del cuerpo, que están organizados para proporcionarle 120 rutinas personalizadas para objetivos específicos.**

**El formato único de página dividida le permite seguir con facilidad la rutina de ejercicios elegida en la parte baja del libro,**

Parte 1

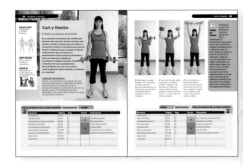

Parte 2

Parte 3

mientras que puede dar vuelta a la parte superior para seguir las explicaciones de los ejercicios paso a paso.

La estructura general del libro se explica abajo; siga las instrucciones detalladas en cuatro pasos, que aparecen en las páginas 8 y 9, para una guía acerca de cómo usar la sección de la página dividida en la Parte 2 del libro.

# Parte 1
## Acondicionamiento básico (páginas 10-37)

En esta sección encontrará:

■ **Autoevaluación** Una guía para llevar a cabo una prueba completa de su condición física para que pueda conocer su nivel antes de comenzar el régimen de ejercicios. Conforme trabaje en las rutinas, siga usando esta información para monitorear las áreas en las que está mejorando y aquellas que podrían necesitar más trabajo.

■ **Equipo para ejercitarse en casa** Una lista del equipo básico que puede encontrar en casa y que le permitirá dejar el gimnasio y ponerse en buenas condiciones físicas. Esta sección le muestra para qué usará el equipo.

■ **Elija su objetivo de acondicionamiento** Una visión general de los objetivos del libro y cómo hacer para alcanzarlos. Esta sección incluye actividades que pueden practicarse junto con sus rutinas para incrementar sus requisitos cardiovasculares.

# Parte 2
## Ejercicios y rutinas (páginas 38-159)

En esta sección de páginas divididas encontrará:

■ **Parte superior de la página: ejercicios** Los ejercicios se muestran en una secuencia clara paso a paso para que usted pueda seguirlos con facilidad.

■ **Parte inferior de la página/rutinas** Contiene una serie de rutinas creadas en torno a un objetivo común.

Seleccione una rutina de la parte inferior de la página y complétela siguiendo las referencias cruzadas a los ejercicios pertinentes en la parte superior de la página. Consulte las páginas 8 y 9 para una explicación más completa de cómo utilizar esta sección.

# Parte 3
## Manténgase activo y saludable (páginas 160-167)

En esta sección encontrará:

■ **Dieta, salud y ejercicio** Consejos generales sobre dietas y ejercicios, incluyendo cómo mantener un diario de lo que consume.

■ **Evite las lesiones** Consejos para evitar lesionarse y cómo tratar las lesiones más leves.

## ADEMÁS: PLANTILLAS EN LAS PÁGINAS 170-171

■ **Plantillas para rutinas** Una vez que haya usado este libro durante un cierto tiempo, podrá diseñar sus propias rutinas de acondicionamiento. Con este propósito le ofrecemos una plantilla en blanco en la página 170 que puede fotocopiar y llenar.

■ **Plantilla de pruebas de acondicionamiento** La plantilla de prueba de acondicionamiento en blanco, en la página 171, le permite hacer un seguimiento de su progreso a lo largo de varios meses.

# Cómo usar este libro

**Siga los cuatro pasos sencillos que se muestran a continuación para obtener los mejores resultados de la sección de páginas divididas de este libro.**

**1** Siga los consejos de autoevaluación en las páginas 12 y 15 para averiguar el nivel de acondicionamiento físico en el que se encuentra. Si tiene cualquier duda, consulte a un médico.

**2** Seleccione un objetivo. ¿Quiere perder peso? ¿Hay músculos específicos que desee trabajar o alguna parte de su cuerpo que quiera tonificar? ¿Está buscando mejorar su condición física pero no tiene mucho tiempo para dedicarle al ejercicio? ¿O ya está en buenas condiciones físicas y está buscando un reto para realmente ponerse a prueba? Cuenta con 10 objetivos entre los que puede elegir (vea página siguiente para más información).

**3** Elija una rutina que corresponda a su objetivo elegido y nivel de acondicionamiento físico. Hay entre tres y cuatro rutinas para cada objetivo, divididas en niveles: principiantes, intermedios y avanzados.

**4** Siga la rutina que haya seleccionado. Cada ejercicio tiene una referencia al número de página en la parte superior de la página, de modo que pueda seguir las secuencias de ejercicios paso a paso. Se le dirá cuáles son los músculos principales que usará, qué aparato del gimnasio reemplaza y cómo realizar cada ejercicio con la ayuda de instrucciones detalladas y fotografías. También encontrará consejos útiles acerca de errores comunes y cómo evitarlos. Algunos ejercicios paso a paso cuentan con la descripción de tres técnicas ligeramente distintas, lo que permitirá que realice el mismo ejercicio con tres niveles de dificultad. Esto le permitirá elegir el nivel en el que quiere comenzar e ir avanzando con seguridad hasta pasar al siguiente nivel.

Muestra los músculos que se utilizan en cada ejercicio. Los músculos principales están marcados en un tono más oscuro que los músculos secundarios

Versión fácil: para principiantes

Versión estándar: demostración tradicional de los ejercicios

**126** Tronco

**MÚSCULOS USADOS**
1 Erector de la columna
2 Abdominales

**EQUIPO NECESARIO**
Tapete para ejercicio.

**OLVÍDESE DE:**
Máquina para abdominales.

## Lagartijas

❯ Tonifica los músculos del tronco y el área del abdomen.

**Este movimiento puede encontrarse en todas las clases de ejercicios abdominales del mundo y tiene variaciones en la mayor parte de las clases de yoga y Pilates. Aunque sólo requiere una posición, que se mantiene durante un cierto período de tiempo, está lejos de ser un ejercicio fácil.**

**MÁS FÁCIL**
❯ Este ejercicio puede ser difícil para los principiantes. Intente la posición desde las rodillas (lo que reduce la longitud del cuerpo y hace que la biomecánica sea más sencilla). La única diferencia entre esta posición y la versión estándar es que sus rodillas descansan en el suelo. Mantenga la línea recta entre los hombros, cadera y rodillas.

**VERSIÓN ESTÁNDAR**
▲ Descanse sobre los dedos de los pies, con la piernas separadas el ancho de la cadera, y sob los antebrazos de modo que los codos queden precisamente debajo de los hombros. El ángul de los antebrazos puede ajustarse según le se más cómodo. Prepare todo el cuerpo contrayendo los músculos del tronco. Esto le h formar una línea recta entre los hombros, la cadera, las rodillas y los tobillos. Respire de manera regular y sostenga la posición.

| RUTINA 87 — PÉRDIDA DE PESO | | INTERMEDIOS | 60 MIN | | |
|---|---|---|---|---|---|
| **Ejercicio** | **Página** | **Rep.** | **Series** | **Alternativa** | |
| Calentamiento | 40-43 | | | | |
| Clean (estándar) | 138-141 | 10 | | Levantamiento con un solo brazo | |
| Sentadillas (estándar) | 86-87 | 10 | x3 | Sentadilla al frente (estándar) | |
| Peso muerto (estándar) | 92-95 | 10 | | Curl de isquios con pelota (estándar) | |
| Remo inclinado (estándar) | 62-63 | 10 | | Remo con banda (estándar) | |
| Remo con mancuernas (estándar) | 54-55 | 10 | x3 | Remo con un solo brazo (estándar) | |
| Flexiones de pecho con mancuernas (estándar) | 48-49 | 10 | | Descenso de tríceps (estándar) | |
| Remo sentado (estándar) | 58-59 | 10 | | Remo parado (estándar) | |
| Flexión de piernas (estándar) | 100-103 | 10 de cada lado | x3 | Subir el escalón (estándar) | |
| Estiramientos | 152-155 | | | | |
| Auto-masaje | 156-159 | | | | |

Equipo del gimnasio que el ejercicio reemplaza

Nombre del objetivo del ejercicio

Tiempo que tarda en completarse la rutina

Grado de dificultad: principiante, intermedio y avanzado

**Versión difícil:** incrementa la dificultad del ejercicio si desea un mayor reto

**Lagartijas 127**

**MÁS DIFÍCIL**

Tome precisamente la isma posición pero oloque las manos en el so, al nivel del pecho y geramente más paradas que el ancho e los hombros. Esta osición puede ajustarse gún le resulte más ómoda. Es una posición ás difícil para los mbros y el pecho, pero ás sencilla para los bdominales.

▼ Todavía más difícil es realizar el ejercicio con una pierna levantada del suelo. Esto pondrá más tensión en los abdominales y también en el músculo flexor de la cadera. Pruebe alternando las piernas para mantener un físico equilibrado.

**! Cuide su forma**
Si baja la cadera, es una indicación de que no tiene la fuerza suficiente para mantener la posición correcta. Esto dará como resultado dolores de espalda a la larga. También es muy común la reacción contraria, es decir, elevar demasiado la cadera. Esta posición hace que el ejercicio se sienta más fácil y suele ocurrir cuando usted se cansa. Trate de mantener la cadera lo más pareja posible. En cuando sienta que se sale de la línea, deténgase, descanse y comience de nuevo.

| | 60 MIN | INTERMEDIOS | PÉRDIDA DE PESO | | RUTINA 88 |
|---|---|---|---|---|---|
| **ercicio** | **Página** | **Rep.** | **Series** | **Alternativa** | |
| alentamiento | 40–43 | | | | |
| vantamiento con un solo brazo (estándar) | 146–149 | 10 de cada lado | | Clean (estándar) | |
| entadilla al frente (estándar) | 88–89 | 10 | x3 | Sentadillas (estándar) | |
| exión de piernas (estándar) | 100–103 | 10 de cada lado | | Curl de isquios con pelota (estándar) | |
| mo con banda (estándar) | 56–57 | 10 | | Remo con mancuernas (estándar) | |
| xiones de pecho con banda (estándar) | 50–51 | 10 | x3 | Flexiones (estándar) | |
| lateral hacia abajo (estándar) | 60–61 | 10 | | Remo inclinado (estándar) | |
| mo parado (estándar) | 68–69 | 10 | x3 | Remo sentado (estándar) | |
| bir el escalón (estándar) | 104–105 | 10 de cada lado | | Flexión de piernas (estándar) | |
| tiramientos | 152–155 | | | | |
| to-masaje | 156–159 | | | | |

**Referencia cruzada** a los ejercicios que figuran en la parte superior de la página

**Cantidad de repeticiones y secuencias.** Los ejercicios marcados con un área sombreada forman una secuencia.

**Extensión de la rutina** con un ejercicio alterno que le permite variar la sesión cuando así lo desee.

## ELIJA SU OBJETIVO

■ **Acondicionamiento básico (rutinas 1 a 34):** Trabaja el tronco, da fuerza y velocidad a la parte superior del cuerpo. En esta categoría hay rutinas especialmente configuradas para obtener los máximos beneficios en un tiempo limitado (lo que se indica con el símbolo de un reloj ☺); y rutinas que le enseñarán a sacar provecho de ejercitarse en su parque local (marcadas con el símbolo de un sol ☀).

■ **Trabajo del tronco (rutinas 35 a 43):** Trabaje músculos del tronco. Adecuado para problemas con la postura y la espalda.

■ **Fortalecimiento de la parte inferior (rutinas 44 a 53):** Se usan frecuentemente para aumentar la fuerza en deportes tales como ciclismo o esquí.

■ **Fortalecimiento de la parte superior (rutinas 54 a 65):** Rutinas para recuperar la fuerza muscular con ejercicios cada vez más difíciles.

■ **Fortalecimiento total (rutinas 66 a 74):** Ponga en buenas condiciones todo su cuerpo.

■ **Postura (rutinas 75 a 82):** Equilibre su fuerza muscular y estire todo su cuerpo: un antídoto para los malos efectos de un estilo de vida sedentario.

■ **Pérdida de peso (rutinas 83 a 94):** Ejercicios que mantienen elevado el ritmo cardíaco para quemar calorías y promover el crecimiento muscular para aumentar el metabolismo.

■ **Velocidad dinámica (rutinas 95 a 103):** Le muestra cómo superar el punto en el que parece no poder ir más allá en su entrenamiento de pesas y mejorar sus marcas personales.

■ **Resistencia muscular (rutinas 104 a 112):** Rutinas que mejorarán su resistencia y ejercitarán su sistema cardiovascular.

■ **Levantamiento energético (rutinas 113 a 120):** Para levantadores de pesas con gran técnica, es un método de ejercicio alterno para el desarrollo muscular.

# Parte 1

# Acondicionamiento básico

Este capítulo le proporciona la información y los conceptos básicos para crear un plan de acondicionamiento físico gradual y le ayudará a saber cómo se encuentra actualmente y adónde desea llegar con sus rutinas de ejercicios, lo que le permitirá avanzar con la mayor rapidez posible. Siga los lineamientos proporcionados para descubrir una nueva y divertida forma de hacer ejercicio que le ayudará a alcanzar sus objetivos.

# Autoevaluación

La idea detrás de casi cualquier plan de acondicionamiento físico es mejorar en una o más áreas específicas. Para lograrlo, debe conocer su nivel de condición física. Estas son algunas pruebas sencillas que le permitirán determinar su nivel de condición inicial. Cuando haya realizado estas pruebas, puede comparar los resultados iniciales con los resultados del seguimiento, que deben registrarse de cada cuatro a ocho semanas.

**CONSEJO**
Si no tiene tiempo para realizar todas las pruebas en una sesión, reanúdelas y conclúyalas tan pronto como sea posible.

Se recomienda que lleve a cabo las diez pruebas que se describen en las siguientes páginas antes de iniciar su programa, ya que le proporcionarán la información que necesita. Aún cuando algunas de las pruebas pudieran no parecer relevantes para sus objetivos, por ejemplo la medición de la fuerza de la parte superior del cuerpo, podrían ser relevantes para objetivos futuros y le ayudarán a hacer comparaciones con los resultados iniciales. Con el fin de lograr los resultados más confiables, realice las siguientes pruebas en el orden en que se muestran.

## 1 RITMO CARDÍACO EN DESCANSO

Como el nombre sugiere, debe tomarse el pulso estando en completo reposo. Para encontrar el pulso, puede tocarse la muñeca del lado de la palma de la mano o buscar la arteria carótida en la parte superior del cuello, junto a la tráquea (no utilice el pulgar para buscarla). Una vez que lo haya encontrado, cuente el número de pulsaciones en un minuto.

## 2 MASA CORPORAL

Tome nota de su peso actual (masa corporal) en kilogramos y libras (cada kilogramo tiene 2.2 libras). Use el mínimo de ropa cuando se esté pesando, ya que cualquier peso adicional podría afectar el resultado. Trate de pesarse temprano, por la mañana para evitar las fluctuaciones provocadas por sus actividades diarias.

## 3 ALTURA

Tome esta medida descalzo. Anótela en centímetros y pulgadas (cada pulgada tiene 2.54 cm).

## 4 ÍNDICE DE MASA CORPORAL (BMI)

Este valor se calcula utilizando su altura, peso y la ecuación que se muestra en el recuadro siguiente. Para que funcionen los cálculos, los valores fijos que se muestran en las ecuaciones de ejemplo deben usarse junto con sus propias medidas.

## Cálculo del índice de masa corporal

$$BMI = (\text{peso [lb]} \times 703) / \text{altura (pulg.)}^2$$
$$BMI = \text{peso (kg)} / \text{altura (m)}^2$$

- **Bajo peso = menos de 18.5**

- **Rango aceptable = 18.5 – 24.9**

- **Sobrepeso = 25.0 – 29.9**

- **Obesidad = más de 30**

Ejemplo: Para una persona que pesa 75 kilos y mide 1.78 m de altura: BMI = 75.0 / (1.78 x 1.78) = 23.7

Ejemplo: Para una persona que pesa 160 libras y mide 5 pies 10 pulg. (70 pulg.) de estatura: BMI = (160 x 703) / (70 x 70) = 22.9

*Los resultados del BMI sólo deben utilizarse como una guía, porque hay otros factores que influyen, tales como origen étnico, desarrollo muscular, etapa de madurez.*

**Pruebas de condición física**
Realice tantas pruebas como sea posible: serán más relevantes en la medida en que cambien sus objetivos.

# 5 ÍNDICE METABÓLICO BASAL (BMR)

Se trata de una indicación del número de calorías que su cuerpo utiliza por día en reposo total.

Utilice la ecuación a la derecha para calcular su BMR. Cuando haya realizado este cálculo, puede ir un paso más allá mediante la fórmula Harris Benedict para determinar sus necesidades calóricas diarias cuando se toman en cuenta sus niveles de actividad general. Para determinar sus necesidades calóricas diarias, sólo multiplique su BMR por el factor de actividad relevante de la lista a la derecha. Cuando haya realizado este cálculo, puede consumir menos calorías si desea perder peso o más si desea ganar peso.

**Nota: Esta ecuación es muy precisa para todas las personas, excepto para aquellas con gran desarrollo muscular (porque las necesidades calóricas se subestimarán) y aquellas con un gran sobrepeso (las necesidades calóricas se sobreestimarán).**

# 6 PRESIÓN SANGUÍNEA

Esta prueba debe realizarse cuando haya descansado bien y no haya consumido ningún estimulante (incluyendo cafeína y nicotina) en las horas previas a la prueba. Vaya con su doctor para que le tomen la presión, o también puede comprar su propio monitor de presión si desea llevar un seguimiento más frecuente.

## Presión sanguínea

- **120/80 = ideal**
- **MÁS DE 140/90 =** hipertensión de primer grado (presión sanguínea alta)
- **MENOS DE 90/60 =** hipotensión (presión sanguínea baja

## Cálculo del índice metabólico basal

$$BMR = peso + altura - edad$$

**Mujeres:**
- 655 + (9.6 x peso en kg) + (1.8 x altura en cm) − (4.7 x edad en años)
- 655 + (4.35 x peso en libras) + (4.7 x altura en pulgadas) − (4.7 x edad en años)

**Hombres:**
- 66 + (13.7 x peso en kg) + (5 x altura en cm) − (6.8 x edad en años)
- 66 + (6.23 x peso en libras) + (12.7 x altura en pulgadas) − (6.8 x edad en años)

**Factor de actividad:**
- Sedentario: *(poco o nada de ejercicio)* = BMR x 1.2
- Ligeramente activo: *(ejercicio o deportes ligeros de uno a tres días por semana)* = BMR x 1.375
- Moderadamente activo: *(ejercicio o deportes moderados de 3 a 5 días por semana)*

= BMR x 1.55
- Muy activo: *(ejercicio o deportes intensos de 6 a 7 días por semana)* = BMR X 1.725
- Extra activo: *(ejercicio o deportes muy intensos y trabajo físico o dos rutinas de deportes o ejercicio por día)* = BMR x 1.9

**Ejemplos de cálculos de BMR:**
- El BMR de una mujer que pesa 140 libras y mide 64 pulgadas de estatura y tiene 30 años de edad es: 655 + (4.35 x 140) + (4.7 x 64) − (4.7 x 30) = **1,423.8**
  Si es ligeramente activa, sus necesidades calóricas son: 1,423.8 x 1.375 = **1,957.7**
- El BMR de un hombre que pesa 75 kg y mide 1.80 m de estatura y tiene 40 años de edad es: 66 + (13.7 x 75) + (5 x 180) − (6.8 x 40) = **1,721.5**
  Si es moderadamente activo, sus necesidades calóricas son: 1,721.5 x 1.55 = **2,668.3**

# 7 COLESTEROL

La medición del colesterol se realiza a través de una sencilla prueba de sangre. Si va a ver a su doctor, pídale que le haga una prueba de sus niveles de colesterol.

Las pruebas profesionales dividen su colesterol total en dos niveles: uno de baja densidad (malo) y otro de alta densidad (bueno). La tabla siguiente muestra los diferentes niveles de colesterol total.

## Niveles de Colesterol

| NIVEL (miligramos por decilitro) | NIVEL (milimoles por litro) | INTERPRETACIÓN |
| --- | --- | --- |
| Menos de 200 | Menos de 5.0 | Nivel deseable que corresponde a un riesgo más bajo de desarrollar problemas cardíacos |
| 200 a 240 | 5.2 a 6.2 | Nivel alto con cierto riesgo |
| Más de 240 | Más de 6.2 | Alto riesgo |

## 8 MEDIDAS DE CIRCUNFERENCIA

Son lecturas valiosas en la mayor parte de las áreas de mejora del acondicionamiento, ya que incluso las variaciones ligeras pueden mostrar resultados significativos.

Es mejor que otra persona tome estas medidas, ya que las lecturas serán más confiables que si lo hiciera usted mismo. El problema más obvio es que las medidas tienen que tomarse siempre de la misma área del cuerpo. Siga las guías que se proporcionan para garantizar que las medidas sean lo más precisas posible.

No son necesariamente las mismas áreas que los profesionales prueban, pero son pruebas fáciles de repetir. Puesto que sólo estará comparando sus propios resultados a lo largo del tiempo, no importa si las medidas no se toman como otras personas las tomarían.

### CONSEJO
**Póngase de pie, erguido, sin tensar el área que esté probando.**

## Toma de medidas

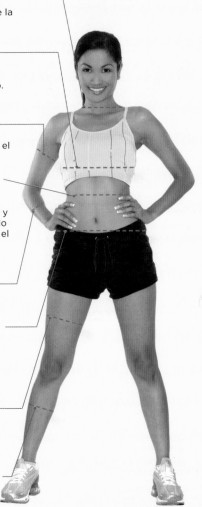

**Cuello**
Para hombres, mida la circunferencia justo por debajo de la manzana de Adán, asegurándose de que la cinta esté totalmente horizontal. Para mujeres, tome la medida entre la barbilla y la clavícula.

**Pecho**
Para hombres, tome la medida pasando la cinta por debajo de las axilas. Para mujeres, utilice la línea del sostén. Los brazos deben estar a los lados del cuerpo.

**Bíceps**
Deslice la cinta por arriba y por abajo del bíceps, asegurándose de que esté horizontal, y entonces tome la medida en el punto más ancho.

**Cintura**
Esta medida debe tomarse en el punto más estrecho entre la caja torácica y las caderas. Utilice el ombligo como guía. Asegúrese de que la cinta esté horizontal y de que usted esté completamente relajado durante la prueba. Recuerde que si sume el estómago obtendrá un resultado falso cuando analice su avance.

**Antebrazo**
Tome esta medida en el punto más ancho, utilizando la misma técnica que en el bíceps.

**Caderas**
La medida debe tomarse en la parte más ancha de los glúteos, con los pies juntos. Si no está seguro de la ubicación exacta, deslice la cinta hacia arriba y hacia abajo hasta encontrar la parte más ancha.

**Muslo**
Mida el punto medio entre la rodilla y la línea inguinal en la cadera y tome una lectura horizontal en ese punto.

**Pantorrilla**
Use la misma técnica que en el bíceps y encuentre el punto más ancho.

## 9 ACONDICIONAMIENTO CARDÍACO

El acondicionamiento cardíaco puede evaluarse fácilmente con métodos sencillos. Puede caminar, correr, andar en bicicleta o nadar hasta una distancia máxima o, mejor aún, realizar una de estas actividades contra reloj. Póngase un límite de tiempo (quince minutos o menos) y realice la actividad cardíaca elegida. Tome nota del punto de inicio y conclusión para llevar un seguimiento de su progreso durante el entrenamiento. Puede realizarse una prueba similar saltando la cuerda, que no solo mostrará los cambios en su condición física, sino que también indicará las mejoras en la coordinación. Para obtener la lectura sólo cuente los saltos realizados en 60 segundos.

## 10 RESISTENCIA MUSCULAR

Pueden realizarse pruebas similares para la resistencia muscular mediante la ejecución de ejercicios de repetición máxima con pesas. Las lagartijas y las sentadillas son ideales para tener una idea general de la resistencia muscular en las partes superior e inferior del cuerpo, pero este tipo de prueba puede realizarse para la mayor parte de los ejercicios. Tome nota de la técnica exacta y de la pesa utilizada y a continuación realice la cantidad máxima de repeticiones en 60 segundos. Una prueba similar que funciona bien para los músculos del tronco es mantener el mayor tiempo posible una posición horizontal tipo lagartija (ver páginas 126 – 129).

### CONSEJO
**Cualquier prueba de resistencia máxima debe terminarse en el momento en que deje de realizar la técnica correctamente a causa de la fatiga, ya que las lecturas no serán precisas.**

| EJERCICIOS | SERIES | REPETICIONES |
|---|---|---|
| Flexión de banco | 2 | 20 |
| Remo parado | 4 | 15 |
| Curl y flexión | 4 | 15 |
| Flexión de piernas | 4 | 20 |
| Remo inclinado | 3 | 15 |
| Curl de bíceps | 4 | 15 |
| Sentadillas | 3 | 20 |
| Abdominales | 3 | 15 |
| Levantamiento de cadera | 2 | 20 |
| Escuadras | 2 | 25 |
| Lagartijas | 1 | Mantenido 60 seg |

## 11 LLEVE REGISTROS

Si lleva un registro detallado de cada rutina que realice, tendrá la oportunidad de ir marcando su progreso. Tome nota de todos los ejercicios que lleve a cabo y de cuantas series y repeticiones constaron, y anote también las pesas utilizadas y los períodos de descanso. Agregue cualquier nota que considere relevante, por ejemplo algún dolor inusual, niveles particulares de cansancio o falta de aliento. También debe anotar la hora para saber en qué períodos trabaja mejor.

**Registre sus rutinas**
Lleve un registro detallado de sus ejercicios. Esto ayudará a garantizar un avance constante sin estancarse innecesariamente.

# Equipo para ejercitarse en casa

Esta sección le brinda consejos para crear su gimnasio en casa. Recuerde que no es necesario que tenga todo; revise las rutinas de su objetivo seleccionado para determinar el equipo que necesita.

## 1 PELOTA DE GIMNASIA

Las pelotas de gimnasia vienen en diferentes tamaños, por lo que debe asegurarse de comprar el tamaño correcto para usted. Utilice las recomendaciones siguientes como una guía general. Este será uno de los artículos más grandes del equipo (desinflar la pelota al terminar una sesión de ejercicios puede tardar), por lo que si su espacio es limitado, trate de evitar los ejercicios que requieran de una pelota de gimnasia utilizando los ejercicios alternativos que se muestran en las rutinas.

**Estatura relativa y tamaño de la pelota de gimnasia:**
- 1.5 m – 1.62 m = 55 cm
- 1.65 m – 1.8 m = 65 cm
- 1.83 m – 2 m = 75 cm

## 2 BALÓN MEDICINAL

Los balones medicinales están disponibles con o sin asas. El balón regular es una buena opción, ya que también puede usarse para arrojar y atrapar. Los balones medicinales le ofrecen otra forma de agregar peso y, por tanto, dificultad a un ejercicio.

## 3 BANCO/BANQUILLO

Esta pieza del equipo también es grande, por lo que sólo debe comprarla si está seguro de que la necesita. Puede evitar su uso con ejercicios alternativos, según se sugiere en cada rutina. Si va a comprar un banco, vale la pena invertir en uno ajustable para que pueda tener posiciones plana en inclinada. Puede encontrar bancos plegables, pero suelen ser menos estables; cuando empiece a levantar pesos mayores, querrá tanta estabilidad como sea posible. Una opción más flexible sería comprar un banquillo, que puede utilizarse para su propósito principal, pero también puede usarse como banco para la mayor parte de los ejercicios boca abajo.

**Trabajo de banquillo**
Si compra un banquillo que sea con altura ajustable y que también pueda utilizarse como banco para pesas, ahorrará dinero y espacio.

**CONSEJO**
Al escoger un banquillo, busque una combinación de altura ajustable y estabilidad.

## 4 MANCUERNAS

Por razones de costo y de almacenamiento, es conveniente comprar mancuernas ajustables. Puede comprar mancuernas que vienen como un gran bloque de pesas ajustable o puede comprar asas para mancuernas y luego adquirir pesas para colocar en ellas. Tardará un poco más si tiene que cambiar las pesas entre cada serie, pero no tanto como para afectar su período de descanso deseado. Si tiene espacio (y dinero) compre mancuernas fijas separadas. Si no tiene mucho presupuesto, en vez de las mancuernas puede utilizar dos latas de frijoles.

## 5 PESAS CON ASAS

Las pesas con asa han estado disponibles durante muchos años, pero sólo en la década pasada volvieron a ponerse de moda. Pueden usarse en vez de cualquiera de los equipos de resistencia en la mayor parte de los ejercicios, pero tal vez tenga que ajustar ligeramente el agarre para mayor comodidad y seguridad. En vez de colocar el asa en la mitad de la palma, colóquela entre el pulgar y el índice y deje que se deslice diagonalmente por la mano hacia la parte interior de su muñeca. Esto le permitirá realizar movimientos de fuerza con las muñecas sin lastimarlas (ver páginas 134 – 149). También le ayudará a mantener la muñeca en posición trabada durante cualquier movimiento de flexión.

## 6 BANDAS DE RESISTENCIA

Algunas bandas son baratas, pero es una buena idea invertir un poco más y comprar bandas fuertes y resistentes. Compre bandas en las que el hule esté cubierto por un material más resistente para evitar que agriete o se desgarre. A la larga, le saldrá más barato. En un principio compre al menos tres bandas con diferentes tipos de resistencia, que se requieren para los distintos ejercicios.

## 7 BARRA PARA FLEXIONES

Hay dos tipos principales de barra para flexiones. El tipo fijo es una barra que se coloca en el marco de su puerta, de longitud ajustable para poder usarse en casi todos los casos. La desventaja de este tipo de barra es que normalmente debe atornillarse, por lo que el marco de la puerta se daña (hay barras fijas que no usan tornillos, pero tienen un límite de peso, por lo que debe verificarlo si va a comprar una). El otro tipo de barra se engancha a la parte superior del marco de la puerta y no crea daños permanentes. Es más difícil de guardar y es también más cara.

### CONSEJO

Aún cuando su nivel de acondicionamiento físico no le permita todavía utilizar la barra para flexiones, es un accesorio que vale la pena tener, porque puede utilizarse también junto con las bandas de resistencia (ver páginas 60-61).

# 8 MUEBLES

Puede utilizar muebles comunes y corrientes para obtener diversas alturas de plataforma para la parte superior o inferior del cuerpo. Algunos ejemplos destacados son sentarse en una silla mientras realiza ejercicios de pantorrillas (ver páginas 112 – 113), utilizar una otomana para realizar ejercicios de banquillo (ver páginas 104 – 105) o ejercicios para tríceps (ver páginas 78 – 79) o usar su sofá para ayudarlo a determinar la profundidad durante las sentadillas (ver páginas 86 – 87) o levantamientos de pesas (ver páginas 92 – 95). Le sorprenderá lo que puede hacer para complementar sus ejercicios.

**CONSEJO**
**Asegúrese de que los muebles sean lo bastante resistentes y estables para soportar su peso durante el ejercicio.**

# 9 SALTAR LA CUERDA

Hay muchos tipos de cuerdas para saltar, que van desde las sencillas de plástico hasta las pesadas de cuero. Algunas tienen asas pesadas y otras, asas ligeras. Algunas vienen con contadores de saltos y otras hasta le hablan. Por suerte, las cuerdas que necesita son muy baratas. Si su presupuesto es muy bajo, siempre puede hacer una con una cuerda que no sea muy pesada.

# 10 BARRA PARA PESAS

Las barras para pesas se incluyen en algunos ejercicios pero no son un requisito principal porque usted puede hacer casi todos los ejercicios que se hacen con barras para pesas usando mancuernas. Si va a comprar una barra para pesas, compre una con el mismo diámetro que sus mancuernas ajustables para poder usar las pesas en ambas. Es la manera más eficaz y barata de comprar pesas.

# 11 CRONÓMETRO O TIMER

Necesitará uno para llevar la cuenta del tiempo total de ejercicio y, más importante, le ayudará a tomarse los períodos de descanso correctos y ciertamente podrá usarlos en cualquier entrenamiento basado en intervalos o circuitos.

**CONSEJO**
**Si compra una cuerda de plástico para saltar, debe tratar de guardarla sin enrollarla mucho porque pueden crearse arrugas que afectarían su funcionamiento.**

## 12 TAPETE

Un tapete es una parte esencial del equipo, incluso si tiene piso alfombrado. Es posible que la alfombra sea cómoda para trabajar, pero si se ejercita en el mismo sitio con frecuencia, no sólo desgastará esa área de la alfombra, sino que la empapará de sudor. Un tapete es más cómodo, protegerá su piso y es fácil de limpiar. Hay muchos tipos de tapetes disponibles. Un tapete recto probablemente sería el más cómodo, pero requiere de más espacio para guardarlo. Otra opción es un tapete que se enrolle. El inconveniente de estos tapetes es que no siempre quedan bien estirados sobre el suelo y podría tropezarse. Una buena alternativa son los que se doblan. Aunque tienen pequeños pliegues que a veces podrían resultar incómodos, son fáciles de guardar.

## 13 MOCHILA

Si tiene una mochila, cuenta con una excelente manera de hacer que algunos ejercicios sean más difíciles. Puede poner pesas (o libros o botellas de agua) en la mochila y usarla durante ejercicios como sentadillas, flexiones y levantamiento con los brazos, así como en casi todos los ejercicios en los que mueva el cuerpo.

## Ropa para ejercitarse

### Parte superior

■ Hombres: Elija una tela especial que permita un secado rápido. Esto ayudará a reducir el peso de la tela en períodos en los que sude mucho y también controlará la temperatura del cuerpo, lo que le proporcionará una mayor comodidad. Elija una talla que le quede cómoda, a menos que vaya a usa uno de las nuevas prendas estilo compresión, que deberá quedar ajustada para darle más soporte.

■ Mujeres: Siga los mismos lineamientos que los hombres para la camiseta exterior y dedique algún tiempo a encontrar un sostén deportivo de buena calidad, que sea cómodo y le proporcione un buen soporte.

### Parte inferior

■ Busque una tela similar a la que se describe para las camisetas, que le permita estar seco y cómodo.

■ Siempre que sea posible, trate de usar shorts para que pueda ver el movimiento de sus rodillas y tobillos y pueda cuidar su técnica con un espejo.

■ Si va a cubrir las piernas, use mallas ajustadas con las que pueda ver con claridad las articulaciones.

■ Invierta en ropa interior deportiva, ya que la normal suele retener mucha humedad y no se ajustará correctamente, lo que le causará incomodidad general y hasta podría provocarle rozaduras.

### Calzado

■ Esta será una de las inversiones mejores y más grandes que hará, porque muchos ejercicios usan los pies como base. Cualquier incomodidad en esa zona puede crear patrones de compensación para evitar el dolor y causar un cambio en la técnica que podría llevar a una lesión.

■ Comience por adquirir unos calcetines de buena calidad, de tela especialmente diseñada para deportes, que le ayudarán a evitar las ampollas y mantener secos los pies.

■ En cuanto a los zapatos, los hay de muchos tipos. Es una buena idea ir a una tienda especialista en zapato deportivo y que le analicen su forma de caminar y correr, para determinar la biomecánica de sus piernas (lo hacen gratis en la mayoría de las tiendas de artículos deportivos). Esto le permitirá adquirir los zapatos adecuados para su patrón de movimiento.

# Elija su objetivo de acondicionamiento

Todos sus objetivos de acondicionamiento deben cumplir con 5 parámetros. Deben ser:

- **Específicos**—Perder una determinada cantidad de peso.
- **Medibles**—Correr un kilómetro en menos de cinco minutos.
- **Alcanzables**—Tratar de que le quede un vestido talla 8 puede ser posible para algunas personas, pero si usted tiene una estructura ósea más grande, es probable que no pueda alcanzar esa meta.
- **Realistas**—Ganar una medalla de oro en las Olimpiadas es un objetivo estupendo, pero ¿es realista? Si lo es, buena suerte con el entrenamiento. Hacer flexiones de banco por el equivalente del peso de su cuerpo podría ser más realista.
- **Con un plazo delimitado**—Siempre debe trabajar dentro de un marco de tiempo, de modo que pueda monitorear su progreso. En la mayoría de los casos, si no puede cumplir con el plazo establecido, no habrá problema. Úselo sólo como una guía.

**Piense precisamente en lo que desea lograr en términos de salud y condición física. Establezca objetivos tan altos como desee, dentro de un plazo temporal adecuado, pero recuerde ser realista. Si no se le ocurre nada, comience con "Acondicionamiento básico" y complete tres rutinas por semana durante cuatro semanas seguidas. Pronto se dará cuenta de lo que disfruta y lo que le hace falta y podrá determinar objetivos más definidos. Es importante que tenga un objetivo en mente, ya que será la motivación que le ayude a mantener su nuevo compromiso.**

Con cada meta que se plantee y que dure más de unas cuantas semanas, es importante descomponerla en objetivos de más corto plazo. Por ejemplo, si desea perder 14 kilos en tres meses, no debe simplemente ejercitarse durante tres meses y luego pesarse al final. Debe pesarse cada dos semanas, cumpliendo con mini-objetivos en el camino. Tal vez uno de ellos podría ser perder tres kilos en dos semanas; eso puede cambiar posteriormente y convertirse en dos kilos cada dos semanas.

Ahora lea los doce objetivos siguientes y encuentre uno o más que le sirva. Luego haga un plan de entrenamiento semanal en torno a estas rutinas. Recuerde que puede cambiar su objetivo con tanta frecuencia como lo desee. Pero es una buena idea pasar al menos cuatro semanas en cada estilo de entrenamiento para obtener los mejores resultados posibles.

**El objetivo final**
Siempre tenga en mente un objetivo, ya que será lo que lo motive en los duros días del entrenamiento.

## Objetivos que se encuentran en el libro

### 1a ACONDICIONAMIENTO BÁSICO

El objetivo del acondicionamiento básico cubre todos los elementos del acondicionamiento sin concentrarse en ninguno en particular. Estas rutinas cubrirán su tronco, fortaleza, energía y velocidad tanto en la parte alta como en la parte baja del cuerpo.

**¿Qué músculos se trabajan en este objetivo?** Este objetivo cubre casi cada músculo del cuerpo. Verá que algunos músculos se usan más que otros, pero la proporción es coherente con los requerimientos diarios del organismo.

**Beneficios.** Estas rutinas cubren casi todos los aspectos del acondicionamiento, como el tronco, la fortaleza, la energía y la velocidad tanto de brazos como de piernas (con un máximo de descanso de 30 segundos entre series), al mismo tiempo que trabaja el sistema cardiovascular y mejora la resistencia muscular.

**¿Quiénes deben hacerlos?** Estas rutinas básicas son excelentes para principiantes que no están seguros de sus objetivos. Todos pueden beneficiarse con estar rutinas y, posteriormente tomar otras decisiones con una buena plataforma inicial. También pueden usarse como etapa intermedia cuando haya alcanzado su objetivo y dienta que necesita tiempo de descanso de los ejercicios "centrados", pero quiera mantener su nivel de acondicionamiento.

### 1b ACONDICIONAMIENTO BÁSICO - ¡CONTRA RELOJ!

Estas rutinas se basan en los mismos principios que las de acondicionamiento básico, pero están especialmente configuradas para lograr los mayores beneficios en el menor tiempo posible. La falta de tiempo es la excusa más común que dan las personas para no hacer ejercicio y estas rutinas ayudan a combatir este problema.

**¿Qué músculos se trabajan en este objetivo?** Este objetivo cubre casi cada músculo del cuerpo. Encontrará que algunos músculos se usan más que otros, pero la proporción es coherente con los requerimientos diarios del organismo.

**Beneficios** Estas rutinas están diseñadas para aquellos que tienen problemas para encontrar tiempo para ejercitarse. Duran alrededor de 30 minutos y usan equipo limitado, lo que ahorra tiempo porque no tiene que cambiar de equipo entre ejercicios. Consisten en una rotación de ejercicios para la parte superior del cuerpo y otra para la inferior; además permiten una recuperación activa de los músculos, es decir, mientras sus piernas se recuperan de las sentadillas, por ejemplo, usted trabaja la parte superior del cuerpo con flexiones de brazo. Esto da por resultado menos descansos y más ejercicio. Estas rutinas pueden usarse junto con otras, cuando no tenga el tiempo suficiente.

**Acelerar** El tiempo necesario para completar las rutinas puede reducirse más si reduce la cantidad de secuencias en cada ejercicio. Eliminar una secuencia, bajando de 3 a 2, debería reducir el tiempo total de la rutina a unos 20 minutos. Incluso puede hacer rápidamente un repaso de todas las secuencias antes de su baño matutino. Le llevará sólo 10 minutos.

**¿Quiénes deben hacerlos?** Estas rutinas rápidas son ideales para las personas que tienen poco tiempo. Como ocurre con otras rutinas, cualquiera que desee realizar un trabajo total general del cuerpo puede usarlas. Es mucho mejor hacer una rutina rápida de 20 minutos que saltarse el ejercicio por completo porque no puede realizar una rutina completa de una hora.

# 1c ACONDICIONAMIENTO BÁSICO – AL AIRE LIBRE

Estas rutinas se basan en los mismos principios del acondicionamiento básico, pero están pensadas para realizarse en exteriores, ya sea en el jardín o en el parque. Requieren todavía menos equipo (o ninguno) ya que hacen uso de lo que se encuentra a su alrededor. Por este motivo, deben tratarse como rutinas flexibles, ya que deberá correr de un lado al otro para usar, por ejemplo una banca del parque o un árbol. Estas rutinas pueden usarse por sí solas o combinarse con otras para interiores.

**¿Qué músculos se trabajan con este objetivo?** Este objetivo cubre casi todos los músculos del cuerpo. Encontrará que algunos músculos se usan más que otros, pero esta proporción es coherente con los requerimientos del organismo.

**Beneficios.** Los beneficios de este objetivo son muy similares a los de las rutinas de acondicionamiento básico anteriores, pero tienen una ventaja adicional. Incluyen estar en el exterior, disfrutando el aire fresco y haciendo una pausa del entorno interior. Si utiliza las pausas entre cada serie de ejercicios, tendrá la oportunidad de incrementar su acondicionamiento cardiovascular. Corra, o realice estos ejercicios en una superficie ligeramente dispareja, como grava o pasto suave (trate de evitar superficies demasiado disparejas) le beneficiará porque trabajará su equilibrio y estabilidad. Una vez que conozca bien su parque local, sabrá exactamente cuánto tardará en llegar a la siguiente banca. Puede correr hasta ella o caminar, si es que acaba de terminar 10 pesadas secuencias de ejercicios de resistencia, e incluso puede ir haciendo flexiones de piernas hasta ella. Juegue y procure divertirse con los ejercicios. Pronto comenzará a inventar ejercicios propios que incorporen barras, bancas, colinas y todas las maravillas que un parque le puede ofrecer. Con estos ejercicios, las secuencias y repeticiones se vuelven menos importantes y usted puede ajustarlas según su velocidad, fuerza, energía y resistencia. Sea cual sea el objetivo que persiga, trate de ajustar una de sus rutinas semanales para practicarla al aire libre. Es una excelente manera de mejorar la motivación y de variar sus ejercicios.

**¿Quiénes deben hacerlos?** Este objetivo es excelente para principiantes que no tienen considerado ningún objetivo de acondicionamiento. Cualquiera que trabaje en una oficina o que pase mucho tiempo en interiores se beneficiará con estas rutinas y debería tratar de realizar al menos una por semana. Trate de acondicionar su programa de rutinas existente para incorporar un trabajo al aire libre.

# 2 TRABAJO DEL TRONCO

El trabajo del tronco por lo general se considera complementario de otros objetivos. Únicamente se le suele considerar como el objetivo primario si está recuperándose de una lesión en esa área.

**¿Qué músculos se trabajan con este objetivo?** En este libro, trabajo del tronco se refiere a todos los músculos alrededor de la parte media del cuerpo y no sólo los abdominales. Esto significa que las rutinas se centran en los músculos mismos del tronco, incluyendo el recto abdominal, los oblicuos internos y externos, el erector de la columna y los músculos en torno a la articulación de la cadera que tienen una gran importancia, incluyendo los músculos del grupo de los isquios, los glúteos y los psoas ilíacos, ya que todos ellos tienen un efecto sobre la pelvis. Las rutinas también trabajan los músculos principales de la espalda media y alta, ya que influyen en la postura y en las habilidades del tronco. Entre cada secuencia deben tomarse descansos que no excedan los 30 segundos.

**Beneficios** A lo largo de todas las rutinas se trabajarán completamente los músculos del tronco, desarrollándose de ejercicios sencillos a otros más avanzados. Las rutinas toman en consideración diferentes rangos de repeticiones para incorporar fibras musculares que reaccionan rápido y otras que reaccionan lento.

**¿Quiénes deben hacerlos?** Esta combinación de ejercicios beneficiará a aquellos con mala postura o problemas de espalda. Si tiene más experiencia ejercitándose, estas rutinas pueden usarse para finalmente pulir ese abdomen de lavadero que anda buscando desde hace tanto tiempo.

# 3/4 FORTALECIMIENTO DE LA PARTE INFERIOR/SUPERIOR

Estas rutinas están diseñadas específicamente para recuperar fuerza muscular con ejercicios cada vez más difíciles.

**Rutinas para la parte baja del cuerpo.** Estas rutinas se concentran en los grupos de músculos largos de las piernas, incluyendo el cuádriceps, los isquios y los glúteos. También incluyen músculos de la parte superior del cuerpo, ya que serán necesarios para proporcionar la resistencia y los movimientos que se requieren. Estos ejercicios se utilizan con frecuencia para mejorar el desempeño en algún deporte específico, como el esquí o el ciclismo.

**Rutinas para la parte alta del cuerpo.** Se concentran en los grupos de músculos grandes en la parte superior del cuerpo, con particular atención a los músculos de la espalda media y alta, el pecho, los hombros y los brazos. Los programas para la parte superior del cuerpo son menos comunes en el área de los deportes, pero ciertamente pueden usarse como adicionales en entrenamientos de deportes específicos en los que se utilice la parte superior del cuerpo.

**Beneficios.** El entrenamiento de fuerza es más que simplemente ser capaz de levantar objetos pesados y comparar sus mejores marcas con las de algún colega. Cuando tiene más fuerza, se vuelve más eficiente: Si llevar las bolsas de la compra es un trabajo arduo, pronto le parecerá muy simple: sólo tiene que avanzar en el entrenamiento de fuerza. Subir cuatro pisos por las escaleras no es sólo cuestión de resistencia muscular: conforme sus piernas se fortalecen, dejan de requerir hacer tanto esfuerzo. Todo el entrenamiento de fuerza puede usarse como rehabilitación continua para lesiones tanto en los brazos como en las piernas.

**Progrese.** Para ganar fuerza muscular, deberá realizar una sobrecarga constante de los músculos, de modo que la resistencia deberá aumentarse regularmente para que pueda progresar. Siga las repeticiones recomendadas y los lineamientos de secuencias, pero una vez que pueda realizar todas las secuencias fácilmente, incremente la resistencia o la dificultad del ejercicio. Esto seguramente significará que no podrá llevar a cabo la totalidad de las repeticiones durante su siguiente rutina de ejercicios, pero no es problema, ya que sólo deben usarse como lineamientos. La clave para progresar es un fracaso continuo. Las repeticiones se establecen entre 8 y 10, con descansos de 60 a 90 segundos entre series. Esto le permite una recuperación lo suficientemente buena para realizar la siguiente secuencia.

**¿Quiénes deben hacerlos?** Son excelentes ejercicios para personas con metas muy específicas que requieren cierto grado de fuerza. También puede usarlas alguien que sienta que le es difícil realizar tareas cotidianas que requieren fuerza, como levantar cajas. Son magníficos también para rehabilitarse de lesiones.

**Advertencia.** Consulte a su médico antes de comenzar con estos ejercicios si el objetivo es la rehabilitación, dado que algunos de ellos podrían incrementar su riesgo de lesiones.

# 5 FORTALECIMIENTO TOTAL

Una combinación de ejercicios de la parte alta y baja del cuerpo en la que, en lugar de realizar los ejercicios de brazos o piernas en diferentes rutinas, se realizan en la misma sesión de entrenamiento. En pocas palabras, estos ejercicios son una forma excelente de lograr un acondicionamiento total.

**Músculos utilizados.** Una excelente combinación de grupos de músculos grandes de las piernas, incluyendo cuádriceps, isquios y glúteos. También los músculos grandes de la parte superior del cuerpo, centrándose sobre todo en los músculos de la espalda media y alta, el pecho, los hombros y los bíceps y tríceps en los brazos.

**Beneficios.** Estas rutinas hacen más lento el avance de una misma área, pero le proporcionan una progresión constante en las dos, y si se llevan a cabo el mismo número de veces que lo haría con las rutinas de la parte superior e inferior del cuerpo, entonces, el avance será casi el mismo. Deben tomarse descansos de entre 60 y 90 segundos entre cada serie.

**¿Quiénes deben hacerlos?** Son para personas que quieren sentirse más fuertes en un rango amplio de movimientos o para aquellos con metas muy específicas que requieren cierto grado de fuerza en todo el cuerpo. Excelentes para personas que no requieren gran desarrollo ya sea en las piernas o en los brazos, sino que desean un equilibrio en todo el cuerpo.

# 6 POSTURA

Mejore la fuerza de sus músculos y estire todo el cuerpo: un antídoto para los efectos negativos de la vida sedentaria.

**Músculos usados.** Muchas personas sufren de debilidad en los músculos de la espalda baja, en comparación con los músculos del frente. Esto se combina luego con una mayor rigidez de los músculos del frente del cuerpo. Por esa razón, estas rutinas se concentran en modificar estas tendencias. Al fortalecer los isquios, glúteos y espalda se reduce esta debilidad. Al estirar los cuádriceps, psoas ilíacos y pecho ayudará a reducir la tensión que tira de su cuerpo y evita que tenga una buena postura.

**Beneficios.** Estas rutinas de ejercicios están diseñadas para aliviar una mala postura y ayudar a cualquiera que pase ocho horas al día en una silla de oficina. Algunas de estas rutinas ponen a prueba también otras áreas del cuerpo. Cuando se realizan correctamente, ayudan a crear una buena alineación del esqueleto y mejoran el equilibrio entre fuerza muscular y estiramiento. Estas rutinas pueden usarse junto con otros objetivos y con frecuencia se consideran como una buena sesión de recuperación. Úselas si ha tenido un par de días de entrenamiento pesados, seguidos, y siente que su cuerpo necesita una recuperación un poco más larga de lo usual. Durante estar rutinas puede usar los músculos sin tensarlos demasiado y permitirles recuperarse a tiempo para su siguiente rutina de ejercicios. Deben hacerse pausas de máximo 30 segundos entre cada serie.

**Hágalo más difícil.** Las rutinas pueden ser tan sencillas o tan difíciles como usted lo desee. Sólo tiene que incrementar la resistencia usada en la mayoría de los ejercicios.

**¿Quiénes deben hacerlos?** Cualquiera que pase más de cuatro horas al día sentado se beneficiará con estas rutinas. La mayoría de las personas requieren de cierta corrección en la postura, así que realizar estas rutinas junto con otros objetivos de entrenamiento puede ser una buena opción.

# 7 PÉRDIDA DE PESO

Mantenga elevado su ritmo cardíaco y promueva el crecimiento muscular para ayudarse a quemar calorías a diario.

**Músculos usados.** Ya que hacen uso de una combinación de grupos de músculos grandes tanto en la parte superior como inferior del cuerpo, así como de músculos menores complementarios, estas rutinas trabajan prácticamente todo el cuerpo.

**Comience poco a poco.** La idea detrás de este objetivo es que, para comenzar, tendrá que tomarlo con calma. Existe un fuerte vínculo entre estar pasado de peso y la inactividad, así que lo más probable es que esté comenzando desde el principio. Si está tratando de lograr este objetivo, es probable que su peso corporal sea mayor que el promedio, incluso realizar ejercicios con sólo el peso de su cuerpo le parecerá difícil, dado que estará empujando, jalando y levantando más peso que alguien con un peso normal. No se desanime. Trátelo como un reto y saldrá de estos ejercicios con más fuerza que otros. Si está realizando 10 lagartijas con un peso corporal de 100 kilos, entonces efectivamente será más fuerte que una persona de 70 kilos realizando el mismo número de repeticiones.

**Beneficios.** La idea general de las rutinas para la pérdida de peso es mantener el ritmo cardíaco elevado durante toda la rutina, quemar la mayor cantidad de calorías posible y trabajar todo su sistema muscular para ayudarle a promover el crecimiento de músculo; a su vez, esto ayudará a incrementar su masa muscular, lo que se relaciona directamente con la cantidad de calorías total que quema durante el día (tasa metabólica basal – ver página 13). Si puede incrementar su metabolismo en un 10%, entonces quemará 10% más calorías incluso cuando se encuentre en descanso. Estas rutinas están diseñadas para causar el mínimo o cero microtrauma (desgarre menor de las fibras musculares) en los músculos (a diferencia de algunas de las otras rutinas que usan el microtrauma para ayudar a promover el avance), ya que debe poder hacer los ejercicios por lo menos un día sí y uno no, ¡algo que no sería posible si le duele demasiado el cuerpo! Simplemente haga su mayor esfuerzo durante estas rutinas, tome descansos breves de un máximo de 20 segundos entre series... ¡Ya habrá tiempo suficiente después de la rutina, para descansar! Dicho esto, asegúrese de incrementar los ejercicios gradualmente, estableciendo metas realistas.

**¿Quién debe hacerlos?** Estas rutinas están diseñadas para personas que tienen sobrepeso y están dispuestas a trabajar duro para lograr perderlo.

# 8 VELOCIDAD DINÁMICA

Le muestra cómo dejar atrás el valle de su entrenamiento de pesas y llegar a nuevas marcas personales. Este objetivo le ayudará a lograr una coordinación de cuerpo completo al usar movimientos compuestos grandes para producir un cuerpo más atlético que se desempeñe mejor en los deportes, además de mejorar la fuerza y condición físicas generales. La principal diferencia en estas rutinas es cómo se llevan a cabo las repeticiones, levantamientos y los períodos de descanso. Para intentar siquiera estos ejercicios deberá tener una excelente técnica, ya que estará levantando pesas pesadas con gran rapidez, lo que podría causarle problemas si no tiene una buena técnica.

**Músculos usados.** Estas rutinas trabajan todo el cuerpo, por delante y detrás, de un modo muy eficiente, usando casi exclusivamente levantamientos compuestos.

Dada la dificultad de estos movimientos, se usan todavía más músculos estabilizadores (los más pequeños y menos usados) para soportar el cuerpo a través de los movimientos difíciles y rápidos.

**Beneficios.** Los períodos de descanso entre las secuencias se extienden a 2 minutos y las repeticiones se reducen (6-8) aunque esto no quiere decir que será una rutina sencilla. Asegúrese de estar trabajando al máximo, con pesas que le permitan completar el rango de repeticiones deseado para casi todas las secuencias. Perder una repetición aquí y allá no es un gran problema; es peor si completa cada serie con facilidad, ya que esto limitará su avance. Siga incrementando el peso para asegurarse de que está obteniendo lo máximo de su ejercicio. Cuando no se ve el avance, es deprimente. Esto pone de manifiesto otra vez la importancia de los objetivos de corto plazo.

**¿Quién debe hacerlos?** Estas rutinas son para atletas bien entrenados, que no sólo sean fuertes física sino también mentalmente. Estas rutinas serán de gran beneficio para las personas que participan en deportes que requieren velocidad dinámica como parte del juego. Cuando se realizan correctamente, son todo un reto, pero las recompensas bien lo valen.

## 9 RESISTENCIA MUSCULAR

Estas rutinas mejorarán su resistencia y ejercitarán su sistema cardiovascular.

**Músculos usados.** Este objetivo cubre casi cada músculo del cuerpo. Verá que algunos músculos se usan más que otros, pero la proporción es coherente con los requerimientos diarios del organismo.

**Beneficios.** Estas rutinas están diseñadas para ayudarle a incrementar la resistencia muscular y permitirle realizar muchos movimientos repetidos sin cansarse. Los ejercicios en estas rutinas cubren todo el cuerpo y por lo tanto activarán no sólo los músculos localizados, sino también al sistema cardiovascular. Las repeticiones son mayores para incrementar la producción de ácido láctico en los músculos, lo que ayuda a crear resistencia con el paso del tiempo, conforme el cuerpo se ajusta para ser capaz de procesar el ácido láctico con mayor eficiencia.

**Ajuste de las rutinas de resistencia muscular.** Estas rutinas pueden ajustarse para trabajar sólo la parte superior o inferior del cuerpo. Si está diseñando sus propias rutinas, elija los músculos que quiere trabajar y seleccione los ejercicios adecuados. Hecho esto, trate de ponerlos en una de dos estructuras. Puede usar el mismo grupo de músculos una y otra vez o trabajar en la resistencia muscular con lagartijas seguidas de flexiones de pecho con pesa con asa cuando está usando el pecho, tríceps y deltoides anterior en ejercicios uno tras otro. O puede usar un enfoque de cuerpo completo y rotar los grupos de músculos para lograr una recuperación activa entre secuencias. Las flexiones de pecho con banda, seguidas de remo sentado ayudarán a mantener la parte superior del cuerpo en movimiento pero permitirán que los músculos se recuperen, porque se utilizan otros músculos. La otra clave para lograr la resistencia muscular es limitar sus períodos de descanso a un máximo de 20 segundos.

**¿Quién debe hacerlos?** Cualquiera que trate de mejorar su habilidad para ejercitarse durante períodos prolongados puede usar estas rutinas. Por ejemplo, quienes van a correr maratones, jugar futbol durante 90 minutos, recorrer 30 kilómetros en bicicleta o caminar al perro durante un par de horas. Sea cual sea su objetivo, si tiene que realizar una actividad durante más de 45 minutos, se beneficiará con estas rutinas.

# 10 LEVANTAMIENTO ENERGÉTICO

Estas rutinas están diseñadas para mejorar su habilidad para levantar pesas. Son más avanzadas que otras, porque usará pesas pesadas. Requieren de un control estricto de la técnica, porque levantar un peso pesado de manera incorrecta, aunque sea poco, puede causar lesiones.

**Músculos usados.** Se coordina todo el cuerpo para transferir la energía de los cuádriceps, isquios, pantorrillas y glúteos; esta energía se combina con incrementos de fuerza en la totalidad de la espalda, así como el pecho y los hombros. Estas rutinas lo convertirán en el atleta completo y poderoso que siempre soñó.

**Beneficios.** Estas rutinas son fabulosas para superar los valles de fuerza, porque cada secuencia y repetición son un nuevo reto y las nuevas marcas a la vuelta de la esquina. La diferencia en estas rutinas es el rango de repeticiones y descansos. Se trata de realizar una pequeña cantidad de repeticiones perfectas (4 – 6), tensando el cuerpo al máximo en la repetición final, para luego tomar un descanso largo de 3 minutos para dejar que el cuerpo se recupere casi por completo antes de la siguiente secuencia. Parece una rutina lenta, ¿cierto? Pero una vez que comience, ¡agradecerá cada segundo de su período de descanso! Le costará trabajo terminar cada secuencia. No se preocupe si falla en algunas repeticiones porque eso significa que está levantando el peso correcto para avanzar.

**¿Quién debe hacerlos?** Estas rutinas están diseñadas para atletas avanzados, ya que requieren movimientos complejos realizados con un alto grado de dificultad. Asegúrese de llegar a estas rutinas paulatinamente, comenzando con las rutinas de acondicionamiento básico (ver rutinas 1 a 34) o fortaleza (ver rutinas 44 a 74) antes de intentar estas.

# Actividades de acondicionamiento alternativas

Utilice las siguientes actividades para complementar las rutinas en su objetivo elegido. Puede hacerlas en días distintos o antes o después de las rutinas, como calentamiento o sesión de enfriamiento.

**Ejercicio alternativo**

Trate de realizar estos ejercicios con otras personas. Le ayudará a mantener la motivación y a disfrutar más.

## CONSEJO

Si está usando una bicicleta fija use diferentes niveles de resistencia y velocidades. De lo contrario limitará su avance.

## CAMINAR

Como dice el dicho: "Hay que saber caminar antes de poder correr". Por más obvio que parezca, es cierto. Correr es un ejercicio estresante para el cuerpo. Produce grandes fuerzas sobre las articulaciones y los músculos y si no están preparados para ellas, puede lastimarse en lugar de beneficiarse. Comience por caminar durante un período largo de tiempo. Incremente la velocidad y la distancia a lo largo de algunas semanas. Esto le preparará para la siguiente etapa, que es un trote ligero.

## TROTAR/CORRER

Trotar es una excelente manera de incrementar el trabajo cardiovascular, perder peso e incrementar la masa muscular. Una vez que pueda trotar o correr, vale la pena combinar entrenamiento continuo (es decir, correr sin parar durante un período largo de tiempo, digamos 10 minutos o más), con entrenamiento de intervalos (en el que corre rápido durante un corto tiempo, de 30 a 120 segundos) seguido de una recuperación activa, caminando. Descanse una cantidad igual de tiempo y luego repita la serie. Juegue con la velocidad y los intervalos y su condición física mejorará en casi todas las áreas, incluyendo una pérdida de peso más rápida que si sólo corre continuamente.

## ANDAR EN BICICLETA

Es una excelente manera de ponerse en buenas condiciones y divertirse. Es mejor usar una bicicleta de verdad, al aire libre, pero una bicicleta fija también le proporciona beneficios. Si va a circular afuera, le recomendamos rutas de ciclismo o caminos poco transitados, hasta que aumente su habilidad como ciclista. Al igual que cuando se trata de correr, puede alternar su intensidad variando la velocidad y usando colinas para incrementar el nivel de dificultad.

## SALTAR LA CUERDA

Es uno de los métodos de ejercicio cardiovascular más accesible y flexible. Una de las alegrías de saltar la cuerda es que puede añadirse a su sesión de entrenamiento de resistencia, ya que puede realizar una sección de su entrenamiento de pesas, seguida de un corto período de saltar la cuerda y luego continuar con más trabajo de resistencia. Esto le ayudará a trabajar hacia el objetivo deseado, pero también trabajará su sistema cardiovascular. Si su técnica es mala o está cansado, entonces puede pasar más tiempo pisando la cuerda que realmente saltándola. Si este es el caso, finja que salta, realizando el movimiento sin la cuerda. Si desea hacerlo más difícil, sostenga pequeñas pesas en las manos y realice el movimiento como si estuviera haciendo girar la cuerda.

## TRABAJO DE BANQUILLO

Use un banquillo de gimnasia o un escalón en la escalera de su casa para realizar una rutina de banquillo. Si usa un escalón, estará limitado en cuanto a los movimientos que puede realizar, pero incluso un movimiento simple de subir y bajar realmente puede poner en marcha el ritmo cardíaco. Si utiliza un banquillo de gimnasio puede combinar los movimientos y hacer desplazamientos laterales y con saltos. Juegue y forme su propia rutina. Es un buen ejercicio cardiovascular para combinarlo con su sesión de entrenamiento de resistencia y, al igual que con la cuerda, puede usarlo entre series de pesas para incrementar su ritmo cardíaco.

## NATACIÓN

Nadar es una excelente manera de ejercitarse sin poner demasiado esfuerzo en sus articulaciones. Si tiene una lesión o si hace mucho que no se ejercita, esta puede ser una buena forma de volver a hacerlo. Una de las mejores cosas de la natación es la variedad de brazadas que hacen trabajar distintos músculos en distintos grados. Pruebe tantas como pueda durante su sesión de natación. La otra gran ventaja es que la piscina tiene una longitud determinada, lo que no sólo facilita medir la sesión en términos de distancia, sino que le permite crear intervalos sencillos que puede llevar a cabo. Una buena forma de avanzar rápidamente es nadar un cierto número de vueltas a alta velocidad y luego otras más lentamente, mientras se recupera. Por ejemplo: seis vueltas a máxima velocidad y dos lentas.

## CAMBIOS COTIDIANOS

Puede hacer algunos cambios en su estilo de vida para incrementar su acondicionamiento cardiovascular y sentirse saludable sin realmente "entrenar", así que, ¿por qué no incorporar algunos de estos sencillos cambios a su vida diaria? Pronto se le volverán costumbre

- Use las escaleras en lugar del ascensor.
- Camine a la tienda en lugar de ir en coche.
- Suba las escaleras dos escalones por vez.
- Haga ejercicios durante las pausas comerciales. Si está mirando la televisión durante una hora, entonces probablemente verá 10 minutos de anuncios. Cuando aparezcan los anuncios, levántese y haga una serie o dos de ejercicios de resistencia. Comience con series sencillas de sentadillas (ver páginas 86 – 87) seguidas de una serie de lagartijas (ver páginas 44 – 47). Sólo le llevará unos minutos, pero si lo hace durante cada pausa comercial, realmente se sumará a su esfuerzo diario.
- Si está viendo a sus hijos hacer deporte, ¿por qué no caminar alrededor del campo de juegos mientras observa?
- Salga al aire fresco y haga un poco de jardinería: le sorprenderá ver cuánto movimiento se necesita para levantar, excavar, cortar y barrer.

**Ejercicio eficiente**
Nadar es una excelente manera de ejercitar casi todos los músculos del cuerpo, al mismo tiempo que minimiza el impacto sobre sus articulaciones.

# Elija sus actividades de acondicionamiento alternativas

| Ejercicio | km/h | Millas/h | CALS (10 min, hombre de 75 kg/165 lb) | Músculos trabajados | Beneficios |
|---|---|---|---|---|---|
| Caminar | 4.8 km/h | 3 m/h | 50 | Músculos de la parte baja del cuerpo. | Excelente punto de inicio que prepara al cuerpo para ejercicios más difíciles. |
| | 5.6 km/h | 3.5 m/h | 60 | | |
| | 6.4 km/h | 4 m/h | 70 | | |
| Correr | 8 km/h | 5 m/h | 100 | Músculos de la parte baja del cuerpo. | Mejor para quemar calorías que sólo caminar, porque exige más de los músculos. |
| | 12 km/h | 7.5 m/h | 150 | Los músculos del tronco trabajan más entre más rápido corra. | |
| | 16 km/h | 10 m/h | 200 | | |
| Ciclismo | 12.8 km/h | 8 m/h | 50 | Los músculos de la parte baja del cuerpo con trabajo adicional para glúteos y pantorrillas. | Una opción de bajo impacto que permite aumentar la resistencia, la fuerza, la velocidad o la potencia simplemente cambiando velocidades y terrenos. |
| | 17.6 km/h | 11 m/h | 80 | Si la actividad es al aire libre, buen trabajo para la parte superior del cuerpo. | |
| | 22.4 km/h | 14 m/h | 120 | | |
| | 27.2 km/h | 17 m/h | 160 | | |
| Natación | Lento | | 70 | Trabajo total del cuerpo con el mejor trabajo para la parte superior del cuerpo en estas opciones de trabajo cardiovascular. | Una opción fantástica para trabajar todo el cuerpo sin exigir demasiado de las articulaciones. |
| | Moderado | | 100 | Diferentes brazadas trabajan diferentes músculos, así que varíelas lo más posible. | Estupendo para trabajar en la postura del cuerpo y para incrementar la movilidad de la articulación del hombro. |
| | Rápido | | 130 | | |
| Cuerda | Lento | | 100 | Velocidad y fuerza para la parte baja del cuerpo. | Una gran opción si cuenta con espacio limitado. |
| | Moderado | | 125 | Entre más pese la cuerda, mayor el ejercicio para los brazos. | Bueno para desarrollar la coordinación. |
| | Rápido | | 150 | | Excelente para usarse entre series de levantamientos de pesas. |
| Banquillo | Lento | | 90 | Resistencia para la parte baja del cuerpo. | Un ejercicio flexible que puede involucrar pasos sencillos, laterales, toques con las puntas, etc. |
| | Moderado | | 110 | Cuando más alto el escalón, más difícil el trabajo con intervención de isquios y glúteos. | Perfecto para espacios limitados y para usarse entre ejercicios de pesas. |
| | Rápido | | 130 | | |
| Levantamiento de pesas | Ligero | | 60 | Opciones de cuerpo completo, dependiendo del ejercicio elegido. | Aunque la quema de calorías inicial puede ser menor que la de las opciones cardiovasculares anteriores, las calorías que se consumen después del ejercicio son mucho mayores. |
| | Moderado | | 80 | | Flexible para beneficiar cualquier grupo de músculos específico o combinar muchos músculos a la vez. |
| | Rápido | | 100 | | |

# Anatomía básica

Hay alrededor de 320 pares de músculos esqueléticos en el cuerpo humano. En este libro se mencionan con frecuencia por sus nombres técnicos, de modo que vale la pena que se familiarice con la zona en la que dichos músculos se encuentran. Las dos figuras de estas páginas están marcadas con los principales grupos de músculos.

**Hay más de 45 ejercicios entre los que puede elegir en la sección de rutinas y ejercicios, cada uno trabaja una variedad de músculos; aquí identificamos el ejercicio más efectivo para enfocarse en cada uno de los principales grupos de músculos. El cuerpo se ha dividido en áreas como hombros, espalda alta y parte delantera de las piernas. En tanto esté trabajado todas las áreas de músculos grandes principales y mueva todas las articulaciones en un rango completo de movimientos, estará usando todos los músculos necesarios.**

## Vista delantera

**Deltoides anterior**
Flexiones de Arnie
(Ver páginas 82 – 83)

**Pectorales**
Lagartijas
(Ver páginas 44 – 47)

**Bíceps y braquiorradiales**
Curl de bíceps
(Ver páginas 80 – 81)

**Oblicuos**
Escuadras con rotación
(Ver páginas 122 – 125)

**Abdominales**
Caminado de manos
(Ver páginas 130 – 133)

**Cuádriceps**
Sentadillas
(Ver páginas 86 – 87)

**Abdominales bajos**
Abdominales invertidos
(Ver páginas 120 – 121)

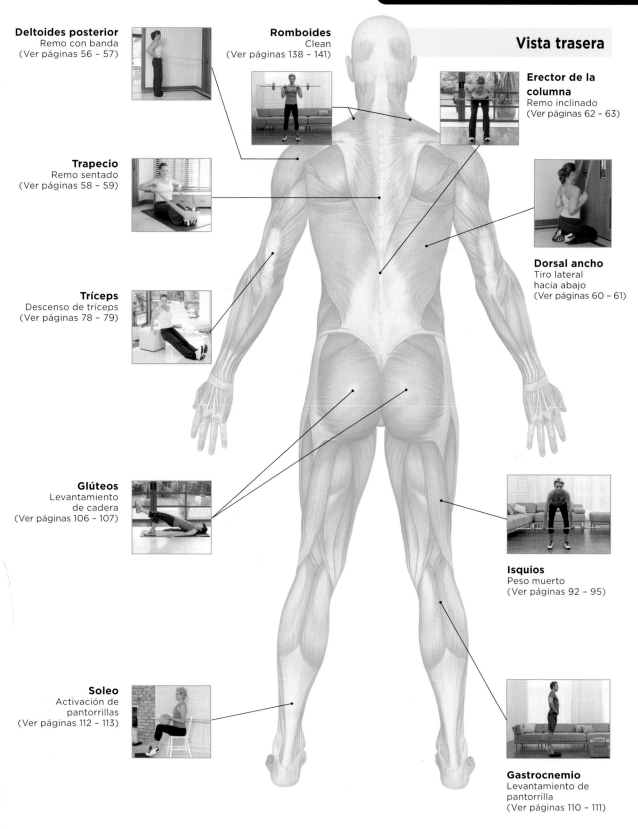

**Deltoides posterior**
Remo con banda
(Ver páginas 56 – 57)

**Romboides**
Clean
(Ver páginas 138 – 141)

**Vista trasera**

**Erector de la columna**
Remo inclinado
(Ver páginas 62 – 63)

**Trapecio**
Remo sentado
(Ver páginas 58 – 59)

**Dorsal ancho**
Tiro lateral
hacia abajo
(Ver páginas 60 – 61)

**Tríceps**
Descenso de tríceps
(Ver páginas 78 – 79)

**Glúteos**
Levantamiento
de cadera
(Ver páginas 106 – 107)

**Isquios**
Peso muerto
(Ver páginas 92 – 95)

**Soleo**
Activación de
pantorrillas
(Ver páginas 112 – 113)

**Gastrocnemio**
Levantamiento de
pantorrilla
(Ver páginas 110 – 111)

# Planificación de sus rutinas

Planificar y llevar un registro de sus sesiones de acondicionamiento le ayudará a alcanzar sus objetivos y a seguir mejorando sin cesar. Cada cuatro a ocho semanas debe reevaluar sus objetivos y niveles de acondicionamiento. Llevar nota de sus sesiones le ayudará a lograr la cantidad necesaria de entrenamiento. Trate el tiempo que dedica a ejercitarse como si se tratara de una reunión de trabajo: una vez reservado, procure no posponerlo y, si tiene que programarlo para otro momento, asegúrese de llevar a cabo la sesión tal como lo haya dispuesto.

**Haga un plan**
La mejor manera de triunfar es crear planes detallados, como el que se muestra a continuación y en la página opuesta, y apegarse a ellos. La planeación es realmente importante.

## LA CLAVE ESTÁ EN PROGRESAR

Para alcanzar sus objetivos necesita progresar. Y para lograrlo a un paso óptimo, no debe perder de vista dónde se encuentra y dónde estaba antes. Puede ser dónde estaba hace dos meses, pero también dónde estaba durante la última sesión. Cuanto mejor sea el registro que lleve de cada sesión, más rápido progresará y alcanzará sus objetivos. Lleve un registro de sus ejercicios, las pesas que usó, las repeticiones que realizó, las series completadas, los períodos de descanso que tomó, la sensación general de fatiga y cualquier comentario que le parezca relevante.

Use las rutinas para alcanzar sus objetivos. Una vez que logre una cantidad completa de repeticiones para cada serie, puede considerar incrementar la resistencia

## NOVATO EN EL EJERCICIO - PLAN DE TRES MESES

■ **OBJETIVO:** Perder peso

| Semana | Lunes | Martes | Miércoles | Jueves | Viernes | Sábado | Domingo |
|---|---|---|---|---|---|---|---|
| 1 | Rutina 83 | x | Rutina 84 | x | Rutina 85 | x | Rutina 86 |
| 2 | x | Rutina 83 | x | Rutina 84 | x | Rutina 85 | x |
| 3 | Rutina 86 | x | Rutina 83 | x | Rutina 84 | x | Rutina 85 |
| 4 | x | Rutina 86 | Rutina 83 | x | Rutina 84 | Rutina 85 | x |
| 5 | Rutina 87 | Rutina 88 | x | Rutina 89 | Rutina 90 | x | Rutina 87 |
| 6 | Rutina 88 | x | Rutina 89 | Rutina 90 | x | Rutina 87 | Rutina 88 |
| 7 | x | Rutina 89 | Rutina 90 | x | Rutina 87 | Rutina 88 | x |
| 8 | Rutina 89 | Rutina 90 | x | Rutina 87 | Rutina 88 | x | Rutina 89 |
| 9 | Rutina 90 | x | Rutina 87 | Rutina 88 | x | Rutina 89 | Rutina 90 |
| 10 | x | Rutina 87 | Rutina 88 | x | Rutina 89 | Rutina 90 | x |
| 11 | Rutina 91 | Rutina 92 | x | Rutina 93 | Rutina 94 | x | Rutina 91 |
| 12 | Rutina 92 | x | Rutina 93 | Rutina 94 | x | Rutina 91 | Rutina 92 |
| 13 | Rutina 93 | Rutina 94 | Rutina 91 | x | Rutina 92 | Rutina 93 | Rutina 94 |

**Semanas 1 a 4**
Comience con "Pérdida de peso: principiantes" y utilice las 4 rutinas; realice una rutina un día sí y otro no. En la cuarta semana realice una rutina en dos días sucesivos, para prepararse para el nivel intermedio.

**Semanas 5 a 10**
Progrese a "Pérdida de peso: intermedios". Haga uso de las 4 rutinas. Realícelas en dos días sucesivos y luego descanse uno. Repita.

**Semanas 11 y 12**
Progrese a "Pérdida de peso: avanzados". Haga uso de las 4 rutinas. Realícelas en dos días sucesivos y luego descanse uno. Repita.

**Semana 13**
Siga en "Pérdida de peso: avanzados", utilizando las 4 rutinas. Trate de incrementar sus días de entrenamiento a tres al hilo, seguidos de un día de descanso.

u optar por una rutina más difícil. Una vez que haya avanzado en este sentido, probablemente no logrará realizar todas las repeticiones o series indicadas. No se preocupe. Siga trabajando en estas rutinas hasta que logre completarlas. Entonces incremente la resistencia o aumente otra vez el grado de dificultad.

## COMPLEJOS

Un complejo es cuando utiliza la misma pesa para una serie de ejercicios sin bajar la pesa ni descansar entre series. Esto realmente pone a trabajar el sistema cardiovascular y músculo-esquelético, porque no se les da punto de reposo. Se trata de ejercicios muy difíciles, de modo que no los intente sino hasta que se encuentre por lo menos en un nivel de acondicionamiento intermedio.

## PERÍODOS DE DESCANSO

Los períodos de descanso son muy importantes en cada rutina y recibirá indicaciones en cuanto a lo que deben durar, dependiendo del objetivo del entrenamiento. Estos descansos están diseñados para permitir un descanso óptimo según los diferentes requerimientos. Si su objetivo es la resistencia muscular, tendrá descansos cortos, ya que necesita enseñar a sus músculos cómo trabajar bien con bajos niveles de energía y oxígeno en la sangre. No se sienta tentado a incrementar estos descansos si está demasiado cansado ni a reducirlos si cree que el entrenamiento va demasiado lento. En cualquiera de estos casos debe ajustar la resistencia o el nivel del ejercicio, pero no los descansos.

# Regresa al ejercicio – plan de tres meses

**NIVEL DE ACONDICIONAMIENTO ANTERIOR:** Intermedio
**OBJETIVO:** Perder unos cuantos kilos y aumentar la fuerza en las piernas

| Semana | Lunes | Martes | Miércoles | Jueves | Viernes | Sábado | Domingo |
|---|---|---|---|---|---|---|---|
| 1 | Rutina 13 | x | Rutina 47 | x | Routine 14 | x | Rutina 48 |
| 2 | x | Rutina 15 | x | Rutina 49 | x | Rutina 16 | x |
| 3 | Rutina 47 | x | Rutina 13 | Rutina 48 | x | Rutina 14 | Rutina 49 |
| 4 | x | Rutina 15 | Rutina 47 | x | Rutina 16 | Rutina 48 | x |
| 5 | Rutina 13 | Rutina 49 | x | Rutina 14 | Rutina 47 | x | Rutina 15 |
| 6 | Rutina 48 | x | Rutina 16 | Rutina 49 | x | Rutina 13 | Rutina 47 |
| 7 | Rutina 107 | Rutina 14 | Rutina 48 | x | Rutina 108 | Rutina 15 | Rutina 49 |
| 8 | x | Rutina 109 | Rutina 16 | Rutina 47 | x | Rutina 107 | Rutina 23 |
| 9 | Rutina 50 | x | Rutina 108 | Rutina 24 | Rutina 51 | x | Rutina 109 |
| 10 | Rutina 25 | Rutina 52 | x | Rutina 107 | Rutina 26 | Rutina 50 | x |
| 11 | Rutina 108 | Rutina 23 | Rutina 51 | x | Rutina 109 | Rutina 24 | Rutina 52 |
| 12 | x | Rutina 107 | Rutina 25 | Rutina 50 | x | Rutina 108 | Rutina 26 |
| 13 | Rutina 51 | x | Rutina 109 | Rutina 25 | Rutina 52 | x | Rutina 107 |

**Semanas 1 y 2**
Combine "Fortalecimiento de la parte inferior" con "Acondicionamiento básico"; comenzando en los niveles intermedios, entrene en días alternos. Le ayudará a perder un poco de peso y fortalecer las piernas.

**Semanas 3 a 6**
Siga con las mismas rutinas pero hágalas en 2 días sucesivos. Luego tome un día libre y repita. Haga 2 de "Fortalecimiento de la parte inferior" y 2 de "Acondicionamiento básico" en 6 días.

**Semanas 7 y 8**
Ahora añada "Resistencia muscular" a la rutina de la semana. Realice 1 de cada rutina en 3 días y luego tome un día de descanso.

**Semanas 9 a 13**
Ya puede pasar "Fortalecimiento de la parte inferior" y "Acondicionamiento básico" al nivel de avanzado. Mantenga los ejercicios de "Resistencia muscular" a nivel intermedio otras 3 semanas, hasta que se vuelvan fáciles.

**CONSEJO**
Un calentamiento para la parte superior del cuerpo podría requerir realizar algunas series de ejercicios de resistencia básicos para esa parte del cuerpo, antes de pasar a ejercicios más difíciles.

# Calentamiento y enfriamiento

Cada rutina tiene que comenzar con un período de calentamiento y terminar con uno que permita enfriar el cuerpo. Sin el calentamiento, el cuerpo no funciona correctamente, lo que dará como resultado un ejercicio poco satisfactorio y podría incluso dar lugar a una lesión. Si llevó a cabo una excelente sesión de ejercicio, su cuerpo no se encontrará tan relajado como estaba antes de comenzar a ejercitarse, de modo que es conveniente pasar de 5 a 10 minutos regresando a ese estado. De no hacerlo, no obtendrá todos los beneficios del duro trabajo realizado.

## BENEFICIOS DEL CALENTAMIENTO

Es importante que se dé tiempo para una sesión de calentamiento antes de comenzar su sesión de ejercicio. Investigaciones realizadas durante años han demostrado que algunos calentamientos son mejores que otros, pero los principios siguen siendo los mismos. El objetivo del calentamiento es incrementar el flujo de sangre a los músculos, incrementando el ritmo cardíaco, haciendo que los músculos pasen por requerimientos cada vez mayores de fuerza, velocidad o energía y movilizar las articulaciones en el rango en el que se esperará que funcionen durante el ejercicio. Esto puede llevarse a cabo de muchas maneras distintas. En la sección de calentamiento de este libro (ver páginas 40 – 43) encontrará algunas. Use los lineamientos

**Técnica de calentamiento**
Una técnica efectiva de calentamiento incluye dar a todas las articulaciones y músculos principales un rango completo de movimiento a una velocidad e intensidad cada vez mayor.

anteriores para crear sus propios calentamientos relacionados con la actividad que está por realizar. Si va a correr, una sencilla caminata y luego trotar le servirá de calentamiento. Una alternativa sería caminar, trotar, hacer estiramiento estático, levantar las rodillas, girar los tobillos y luego correr. O puede tratar de correr en el mismo sitio, dar saltos pequeños y luego correr. Descubra qué le viene mejor y diviértase.

## BENEFICIOS DEL PERÍODO DE ENFRIAMIENTO

El período de enfriamiento tiene que ver en realidad con relajar al cuerpo y devolverlo a su estado de descanso. Esto incluye hacer que el corazón vuelva gradualmente a su ritmo normal y redistribuya la sangre, ayudando a prevenir que se quede en los músculos. También ayuda a eliminar los subproductos del ejercicio, como el ácido láctico, de la corriente sanguínea y de los músculos. La otra razón importante para que se lleve a cabo un período de enfriamiento es devolver a los músculos a su longitud total. Cuando un músculo produce una fuerza, se acorta para producir el movimiento en la articulación. Después del ejercicio, debe hacer que estas fibras vuelvan a su tamaño original (o, con suerte, algo más largas). Esto puede lograrse a través de estiramientos estáticos. Utilice la guía de estiramientos en las páginas 152 – 155 para estirar todos los músculos que haya usado en la sesión de ejercicio. Si tiene algo de tiempo al final de la sesión, realice estiramientos extra en cualquier músculo que sienta rígido. Cada estiramiento debe mantenerse al menos 20 segundos y repetirse si es necesario.

## EL CALENTAMIENTO Y LA EDAD

Hay pruebas que demuestran que, en general, a mayor edad, más tarda el cuerpo en calentar. Es algo que hay que tener en cuenta. Un calentamiento de 5 a 10 minutos será suficiente para la mayoría de las personas, pero lo mejor que puede hacer es probar algunas veces y ver cómo se siente. En un par de semanas sabrá el tiempo que tiene que dedicarle al calentamiento antes de una sesión seria de ejercicio.

## AUTOMASAJE

Hay estudios que demuestran los beneficios que se logran usando la manipulación del tejido blando antes y después del ejercicio. Se trata básicamente de una forma de masaje, pero puede dárselo usted mismo. Esto puede hacerse ayudándose de un rodillo de goma, un balón medicinal, una pelota de tenis o de golf (ver páginas 156 – 159). Coloque el rollo de goma o el balón entre usted y el piso o una pared, con los músculos que desea masajear en contacto con el artículo. Ahora mueva el cuerpo lentamente para dejar que el rodillo o el balón den masaje al área deseada. Esto puede ayudarle a aflojar un músculo antes del ejercicio y a liberar la tensión después de su rutina. Tardará un poco en acostumbrarse, pero una vez que domine la técnica, cosechará los beneficios.

**Estiramientos**
Estire todos los músculos mayores usados en la rutina para devolverlos a su longitud original.

**Masaje con balón medicinal**
El auto-masaje es una manera económica y efectiva de liberar la tensión después del ejercicio y ayuda a prevenir lesiones.

# Parte 2

# Ejercicios y rutinas

La parte superior de las páginas en este capítulo le proporciona los ejercicios que necesita realizar, le explica cómo hacerlos correctamente, le da consejos para ayudarle a evitar errores comunes, y formas de hacer los ejercicios más sencillos o más difíciles, dependiendo de su nivel de acondicionamiento. La parte inferior de las páginas le proporciona rutinas progresivas creadas en torno a un objetivo específico, que puede ir desde perder peso hasta aumentar la masa muscular. Con este formato fácil de seguir, ¡ya no tendrá excusa para no ejercitarse!

# Calentamiento

❯ Prepare los músculos para trabajar.

**Debe combinar algunos movimientos que aceleren el ritmo cardíaco para aumentar el flujo de sangre a los músculos antes de comenzar a ejercitarse. Esto le ayuda a incrementar su temperatura corporal y hace que los músculos sean más flexibles y menos susceptibles a lesionarse. También debe mover las articulaciones en un rango completo de movimientos, para ayudarlas a lubricarse, prepararlas y protegerlas. Vea también el auto-masaje en las páginas 156-159.**

## MARCHAR EN SU LUGAR

Dé pasos exagerados, subiendo las rodillas un poco más de lo que haría normalmente al caminar. Puede convertir el ejercicio en un trote si se siente cómodo al hacerlo. Repita el movimiento al menos 30 segundos.

| ACONDICIONAMIENTO BÁSICO | | PRINCIPIANTES | 45 MIN | |
|---|---|---|---|---|
| **Ejercicio** | **Página** | **Rep.** | **Series** | **Alternativa** |
| Calentamiento | 40-43 | | | |
| Sentadillas (fácil) | 86-87 | 10 | | Sentadilla al frente (fácil) |
| Curl de isquios con pelota (fácil) | 96-97 | 10 | | Peso muerto (fácil) |
| Remo con mancuernas (estándar) | 54-55 | 10 | | Remo sentado (fácil) |
| Flexiones (fácil) | 44-47 | 10 | | Flexiones de pecho con banda (fácil) |
| Remo parado (fácil) | 68-69 | 10 | x3 | Remo inclinado (fácil) |
| Flexiones de hombro con banda (fácil) | 70-71 | 10 | | Descenso de tríceps (fácil) |
| Remo con un solo brazo (estándar) | 64-65 | 10 | | Remo con banda (fácil) |
| Abdominales invertidos (fácil) | 120-121 | 10 | | Abdominales (fácil) |
| Estiramientos | 152-155 | | | |
| Auto-masaje | 156-159 | | | |

RUTINA **1**

## RODILLAS ARRIBA

Suba las rodillas de modo que el ángulo entre la cadera y la rodilla sea de más o menos 90 grados. Si puede subirlas más, hágalo usando todo el rango de movimiento de la cadera. Alterne los lados y acelere cuando se sienta cómodo. Repita este movimiento durante al menos 30 segundos.

## PASOS LATERALES

Estando de pie, dé un paso largo a un lado y luego lleve el otro pie para reunirse con el primero. Ahora invierta el movimiento, dando el paso en la dirección contraria. Repita el movimiento al menos 30 segundos.

*(continúa en la siguiente página)*

## COLUMPIAR LAS PIERNAS

Mantenga derecha la pierna y muévala hacia afuera, desde la cadera, alejándola lo más que pueda sin mover la pelvis. Luego colúmpiela frente a su cuerpo tan lejos como pueda, sin mover la pelvis. Haga este movimiento al menos diez veces con cada pierna.

## SACUDIR LOS TALONES

Este ejercicio le ayudará a estirar los muslos y a calentar los isquios. Sacuda los talones hacia atrás, con la intención de que toquen los glúteos, uno primero y el otro después. Trate de mantener las rodillas relativamente quietas y juntas. Repita esto al menos 30 segundos.

## SALTOS EN ESTRELLA

Párese con las manos a los lados y luego, en un movimiento explosivo, salte directamente hacia arriba, moviendo ambas piernas hacia los lados a la vez que sube los brazos por encima del nivel del hombro. Aterrice así y luego vuelva a saltar desde esta posición para volver a la posición inicial. Repita estos saltos al menos 30 segundos.

## SALTOS PEQUEÑOS

Estando de pie, realice pequeños saltos verticales (casi como si estuviera saltando la cuerda). Repita estos saltos al menos 30 segundos.

**MÚSCULOS USADOS**
**1** Pectorales
**2** Deltoides anterior
**3** Tríceps
**4** Abdominales

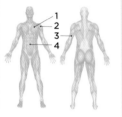

**EQUIPO NECESARIO**
Banquillo o similar.
Banda de
resistencia.

**OLVÍDESE DE:**
Máquina de
flexiones de pecho.

# Flexiones

❯ Tonifica los brazos, hombros,
abdominales y pecho.

Las flexiones trabajan varios de los músculos más
deseables en un solo movimiento. Este ejercicio tiene
muchas variaciones y puede hacerse más fácil o más
difícil sin necesidad de gastar en equipos nuevos. Este
ejercicio puede realizarse en cualquier parte y puede
incrementar significativamente la fuerza muscular y la
resistencia.

## VERSION ESTÁNDAR

**1** Colóquese sobre los dedos de
los pies, con las piernas separadas
a la altura de la cadera. Coloque
las manos al nivel del pecho, con
los dedos apuntando hacia arriba,
ligeramente más separados que la
altura de los hombros. Esta
posición es flexible y puede
ajustarse de modo que quede
usted cómodo. Prepare el cuerpo
contrayendo los músculos
abdominales. Esto hará que su
cuerpo forme una línea recta entre
los hombros, la cadera, las rodillas
y tobillos.

**2** Mantenga el cuerpo rígido, doble los codos y permita que los omóplatos se acerquen uno al otro. Mantenga rígido el cuerpo durante todo el movimiento.

**3** Baje el cuerpo hasta que sus codos formen un ángulo recto. Mantenga la columna neutral mirando directo hacia abajo. En el punto más bajo empuje con los hombros y estire los brazos para volver a separarse del piso.

*(continúa en la siguiente página)*

## VARIACIONES

### Flexiones estrechas

Puede variar este ejercicio cambiando la posición de las manos. SI las coloca directamente debajo de los hombros podrá realizar flexiones estrechas y trabajar más el tríceps y el deltoides anterior. La diferencia con este movimiento es que debe mantener los codos cerca del cuerpo, de modo que cuando baje, los codos prácticamente tocarán sus costillas.

### Flexiones amplias

Extienda más los brazos. Es posible que tenga que cambiar la posición de las manos rotándolas ligeramente hacia afuera, para que la posición resulte cómoda. Entre más separe los brazos, más usará los pectorales. Por lo general este ejercicio resulta más difícil, así que no espere hacer la misma cantidad de repeticiones. Baje tanto como pueda y luego suba estirando los brazos.

### MÁS FÁCIL
Si no puede hacer una flexión completa, trate colocando las rodillas en el piso, en lugar de los pies. La única diferencia con la versión estándar (ver páginas 44 – 45) es que debe mantener la línea recta entre los hombros, las caderas y las rodillas.

## MÁS DIFÍCIL

Hay muchas formas de hacer este ejercicio más difícil, pero las dos mejores formas de hacerlo sin cambiar demasiado la biomecánica del movimiento son las siguientes:

▶ ▼ Ponga los pies en una superficie elevada y realice las flexiones como se describe en las páginas 44 – 45.

Use una banda de resistencia para incrementar el "peso". Ponga la banda atravesada a la altura de los hombros, pasándola bajo las axilas, por los brazos y hasta las manos. Incremente el peso tensando la banda. Ahora realice el ejercicio como se describe en las páginas 44 – 45.

**! Cuide su forma**

Un problema común es permitir que la cadera se balancee y la columna pierda su posición neutral. Esto sucede cuando el cuerpo no está bien rígido al realizar el movimiento. Una causa es que los músculos del tronco, incluyendo los abdominales, se están cansando. Pase a un ejercicio distinto y continúe con las flexiones más tarde.

# Flexiones de pecho con mancuernas

❯Tonifica los brazos, el pecho y los hombros.

**Es uno de los mejores ejercicios para el pecho, ya que este movimiento da total libertad a los hombros y usa muchas fibras musculares para ayudar a estabilizar las pesas. Este movimiento es muy similar al que se usa en las flexiones de pecho con banda (ver páginas 50 – 51), pero usted estará acostado, lo que significa que sus músculos estabilizadores requieren de menos esfuerzo y puede aplicar más fuerza al pecho y los hombros.**

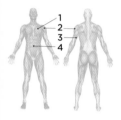

**EQUIPO NECESARIO**
Mancuernas; pelota de gimnasia o banco.

**OLVÍDESE DE:**
Máquina de flexiones de pecho.

## VERSIÓN ESTÁNDAR

Descanse sobre la espalda en la pelota o en el banco, con las rodillas dobladas y los pies bien plantados en el suelo. Tome las pesas en las manos y extienda los brazos hacia el techo, con las palmas hacia los pies. Ahora doble los codos llevándolos hacia afuera, a un lado, y dejando que los hombros se muevan libremente y los omóplatos se deslicen uno hacia el otro. Doble los codos hasta que alcance un ángulo de 90 grados. Luego empuje hacia arriba y vuelva a la posición inicial.

### MÁS FÁCIL

Comience como en la versión estándar. Extienda los brazos rectos, pero gire las palmas de modo que queden una frente a la otra, baje las pesas y llévelas hasta el ancho de los hombros y no más, manteniendo los codos cerca de los costados. Vuelva a subir y regrese a la posición inicial.

### MÁS DIFÍCIL

Colóquese más abajo en la pelota o ponga el banco inclinado para trabajar las fibras musculares superiores del pecho e incrementar el uso de los músculos de los hombros. Coloque el banco en declive levantando un extremo más arriba de lo que quedan la cabeza y los hombros, para trabajar más los músculos inferiores del pecho.

### ⚠ Cuide su forma

■ Arquear la espalda es un problema común. Para evitarlo, mantenga la parte baja de la espalda presionada contra la pelota o el banco y los músculos del tronco contraídos. Esto puede pasar si las pesas son demasiado pesadas. Reduzca el peso y vea si se soluciona el problema. En ese caso, use unas pesas más livianas hasta que pueda realizar el movimiento sin arquearse.

■ Otro problema común es no llegar al rango completo del ejercicio: 90 grados es una guía para comenzar. Para corregir esto, reduzca la pesa para permitir que se realice un movimiento más profundo, con mayor control. También pruebe estirar el pecho y los hombros, ya que los músculos tensos podrían evitar que lograra un movimiento completo.

**MÚSCULOS USADOS**
1 Pectorales
2 Deltoides anterior
3 Tríceps
4 Abdominales

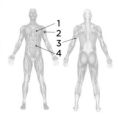

**EQUIPO NECESARIO**
Banda de
resistencia

**OLVÍDESE DE:**
Máquina de cables
superiores
cruzados

# Flexiones de pecho con banda

❯ Tonifica los hombros, brazos, pecho y abdominales.

**Es una buena alternativa a las flexiones o a las flexiones con mancuernas. Es particularmente bueno para cuando se está de viaje, porque las bandas de resistencia son muy livianas. Es un ejercicio versátil que puede hacerse más sencillo para los principiantes o más difícil para los expertos.**

## VERSIÓN ESTÁNDAR

▶ **1** Enganche la banda de resistencia en un objeto fijo y fuerte, como una manija de puerta. Si no tiene un objeto fijo fuerte, puede colocar la banda detrás de su espalda, a través de los omóplatos. Si la banda se encuentra contra su espalda, sujete los extremos por encima de los hombros y si está enganchada a un objeto fijo, sujete los extremos pasándolos bajo los brazos, de modo que queden frente a usted cuando estire los brazos con las palmas hacia abajo.

◀ **2** Mueva los brazos hacia los lados, manteniendo las manos y los codos a la altura del pecho, con las palmas todavía hacia abajo. Doble los codos 90 grados, permitiendo que los hombros se muevan libremente. Ahora vuelva a la posición inicial.

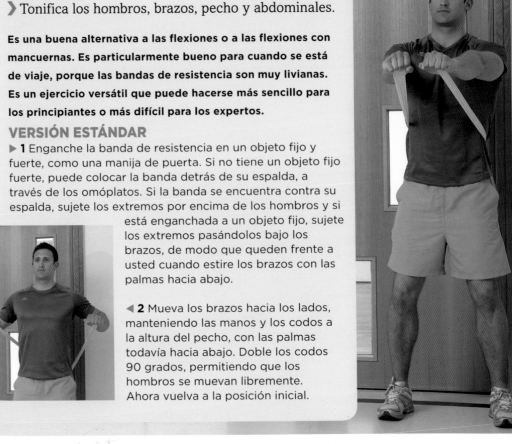

> **⚠ Cuide su forma**
>
> Mover las manos demasiado alto o demasiado bajo puede poner una tensión innecesaria en los hombros. Asegúrese de que las manos estén a una altura entre los hombros y el pecho durante todo el movimiento.

## MÁS FÁCIL

Comience como en la versión estándar. Extienda los brazos al frente, pero gire las palmas de modo que queden una frente a otra. Regrese las manos justo por debajo de los hombros, a la altura de los mismos, manteniendo los codos cerca de los costados. Cuando tenga las manos a los lados, presione las bandas hasta volver a la posición inicial.

## MÁS DIFÍCIL

El cambio más evidente y sencillo es incrementar la resistencia de la banda. Otra manera es extender los brazos, separándolos más en cada movimiento y aumentando el trabajo para los músculos del pecho. También puede realizar este ejercicio con un brazo a la vez, lo que incrementará la carga de trabajo para los músculos del tronco.

## MÚSCULOS USADOS

1 **Pectorales**
2 **Deltoides**
   **anterior**
3 **Tríceps**
4 **Abdominales**

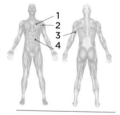

## EQUIPO NECESARIO

Barra para
flexiones; banda
de resistencia.

## OLVÍDESE DE:

Máquina de
inclinaciones

# Flexiones de pecho con inclinaciones

❯ Tonifica los hombros, los brazos y
el pecho.

**Este es un ejercicio difícil de replicar en
casa sin riesgos, pero esto es lo más
parecido. Las inclinaciones son un
ejercicio muy usado, tanto dentro como
fuera de los gimnasios, desde hace años
y este ejercicio replica el movimiento
casi exactamente. La técnica de este
ejercicio permite los mismos
movimientos de hombros y codos, sin
necesidad de la gran fortaleza de
brazos que se requiere en el aparato
del gimnasio. La mejor manera de
realizar este ejercicio es usar una barra
para flexiones como ancla, pero puede
convertirse en un excelente ejercicio al
aire libre si se cuenta con una rama
fuerte de un árbol como punto de
sujeción.**

## VERSIÓN ESTÁNDAR

**1** Párese debajo de la barra para flexiones y
pase la banda de resistencia sobre el centro
de la barra. Tome un extremo de la banda er
cada mano y tire de los codos hacia los
costados, manteniendo las manos apenas pc
afuera del ancho de los hombros, con las
palmas una frente a la otra. Ahora inclínese a
frente 45 grados mientras mantiene la
espalda en neutral.

**2** Enderece los brazos, llevando los brazos en un movimiento vertical hacia el suelo, moviendo desde los codos y hombros, de modo que termine con los brazos extendidos exactamente en una vertical. Doble los codos para invertir el movimiento, de modo que los codos rocen los costados, pasando detrás del torso con las manos terminando a los lados del pecho. Repita el movimiento la cantidad deseada de repeticiones.

## MÁS FÁCIL

Para facilitar el ejercicio y ejercitar el deltoides anterior y los tríceps un poco más, coloque las manos en una posición un poco más cerrada. Las manos no deben rebasar el ancho de los hombros. Realice el movimiento en la misma manera, pero mantenga los codos y las manos muy cerca del cuerpo.

## MÁS DIFÍCIL

Para hacerlo más difícil y trabajar más los pectorales, separe las manos más al inicio del movimiento.

**Cuide su forma**

Un error común es no inclinarse hacia adelante en el ángulo correcto. Conforme se canse, es probable que se enderece. Si la resistencia es demasiada, también puede encontrar el problema inverso de recargarse demasiado en cada movimiento para ayudar a generar el impulso inicial. Mírese en un espejo o haga una pequeña pausa para ajustar su postura cada tres o cuatro repeticiones.

## MÚSCULOS USADOS

1 **Trapecio**
2 **Deltoides posterior**
3 **Bíceps**
4 **Romboides**
5 **Dorsal ancho**
6 Braquiorradial
7 Erector de la columna

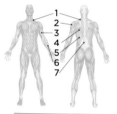

## EQUIPO NECESARIO

Mancuernas; banquillo, banco o pelota de gimnasio.

## OLVÍDESE DE:

Máquina para remo sentado

# Remo con mancuernas

❯ Tonifica bíceps y espalda.

Este ejercicio es excelente para la espalda y los bíceps. Es un ejercicio compuesto enorme que usa muchos músculos durante el movimiento, lo que lo hace muy eficiente para aquellos que no cuentan con bastante tiempo. Demasiado trabajo de pecho puede crear una mala postura, pero este ejercicio ayuda a crear una postura neutral y a equilibrar la carga de la parte superior del cuerpo.

**VERSION ESTÁNDAR**
Colóquese boca abajo en el banquillo, banca o pelota (si usa la pelota, asegúrese de mantener una posición neutral en la columna). Tome una mancuerna en cada mano, con las palmas vueltas una hacia la otra.

Junte los omóplatos, levante las manos hacia la cadera. Doble los codos y déjelos rozar los lados del cuerpo mientras trata de acercar las pesas a la cadera. Lentamente vuelva a bajar las mancuernas al suelo y repita el movimiento.

**Cuide su forma**

El principal problema que se ve al realizar este ejercicio es levantar las pesas hacia los hombros y no hacia la cadera. Esto crea tensión extra en la parte alta del trapecio, que no es lo que está tratando de lograr. Siempre asegúrese de mover los omóplatos hacia abajo en la espalda y levantar la pesa hacia la cadera.

## MÁS DIFÍCIL

Para hacer el movimiento más difícil, mueva los codos lejos del cuerpo y levante las pesas a los lados y lejos del cuerpo. Trate de que los codos lleguen por lo menos a un ángulo de 90 grados y, de ser posible, junte los omóplatos llevando los codos por encima de la línea de la espalda. Esto exigirá un mayor esfuerzo del trapecio, el romboides y el deltoides posterior.

## MÁS FÁCIL

Este movimiento requiere una configuración diferente, de modo que necesitará un banquillo o un banco. Flexione la rodilla derecha, inclínese hacia el frente, desde la cadera, manteniendo la espalda recta y coloque la mano derecha (ya sea en puño o abierta) sobre el banquillo, directamente debajo del hombro. Aleje la pierna izquierda del banquillo hasta que sienta que la pelvis está horizontal (puede doblar un poco la rodilla si le cuesta trabajo lograr la posición correcta). Ahora tome la mancuerna en la mano izquierda, con la palma hacia usted. Junte los omóplatos y levante la mano hacia la cadera. Doble el codo y déjelo rozar el costado del cuerpo mientras trata de llevar la pesa hacia la cadera. Lentamente baje la pesa hasta estirar el brazo y repita el ejercicio.

# Remo con banda

❭Tonifica todo el cuerpo.

Es un excelente movimiento para casi todo el cuerpo. Como está de pie y tira de manera horizontal, las piernas y el tronco tienen que trabajar duro para mantener al cuerpo en una posición estable y erguida. Se usan muchos músculos, lo que ayuda a incrementar el metabolismo. Los músculos de la parte superior del cuerpo que se usan en este ejercicio son importantes para una buena postura, de modo que este movimiento complementa muy bien la mayoría de los objetivos de acondicionamiento. Es un ejercicio versátil y puede ajustarse para trabajar distintos músculos en diferentes grados.

## MÚSCULOS USADOS

1 Trapecio
2 Deltoides posterior
3 Bíceps
4 Dorsal ancho
5 Erector de la columna

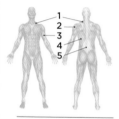

## EQUIPO NECESARIO

Banda de resistencia

## OLVÍDESE DE:

Máquina de remo de cable

## VERSIÓN ESTÁNDAR

**1** Fije la banda de resistencia con seguridad a un objeto fijo como la manija de una puerta que esté a una altura entre la cabeza y la cadera (idealmente a la altura del pecho). Párese frente a la banda con los pies separados el ancho de la cadera. Con un extremo de la banda en cada mano, extienda los brazos frente a usted, a la altura de los hombros, con las palmas una frente a la otra.

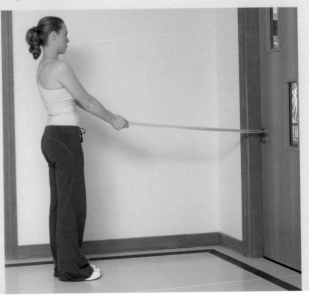

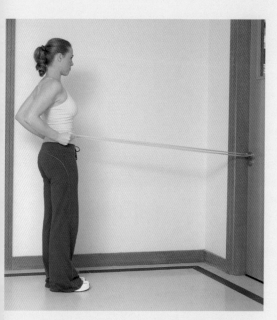

**2** Tire con las dos manos hacia atrás, a la altura de su ombligo. Mantenga las palmas una frente a la otra y los codos cerca del cuerpo. Mueva los omóplatos hacia abajo y hacia el centro al tiempo que hace las manos hacia atrás. Termine cuando las manos lleguen a su lado o ya no pueda tirar más de la banda. Para ajustar la resistencia/dificultad de este ejercicio sencillamente muévase más cerca (más fácil) o más lejos (más difícil) del punto de fijación.

## MÁS FÁCIL

Comience como en la versión estándar, con las palmas una frente a la otra. La única diferencia en el movimiento esta vez es que sólo usará una mano a la vez, y mantendrá la otra mano extendida al frente. Realice las repeticiones deseadas con un brazo y luego repita con el otro.

## MÁS DIFÍCIL

Trate de realizar el ejercicio con un movimiento más amplio. Comience como en la versión estándar, pero ponga las palmas hacia el suelo. Ahora haga los brazos hacia atrás, asegurándose de que las manos se encuentren a la altura de los codos durante el movimiento; termine con los omóplatos juntos y los codos lo más atrás posible.

**Cuide su forma**

El error más común en este ejercicio es no pararse derecho, lo cual puede deberse a una mala posición de inicio o por mecerse durante el ejercicio. Asegúrese de revisar que esté parado lo más erguido posible, y prepare el tronco y las piernas para que no se muevan al tirar.

## MÚSCULOS USADOS

1 **Trapecio**
2 **Deltoides posterior**
3 **Bíceps**
4 **Braquiorradiales**
5 **Dorsal ancho**
6 **Erector de la columna**

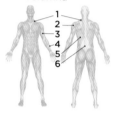

## EQUIPO NECESARIO

Tapete de ejercicio; banda de resistencia.

## OLVÍDESE DE:

Máquina para remo sentado

# Remo sentado

❯ Tonifica la espalda y los bíceps.

**Es un movimiento excelente para casi toda la espalda. Este ejercicio le permitirá usar más resistencia que el remo con banda (ver páginas 56 – 57) porque no tendrá que tensar tanto el cuerpo durante el movimiento. Esto le permitirá una mayor fuerza y desarrollo muscular en la espalda y los bíceps. Los músculos de la parte superior del cuerpo que se utilizan en este ejercicio son muy importantes para una buena postura. Como muchos otros en esta sección, se trata de un ejercicio versátil y puede ajustarse para trabajar diferentes músculos en distintos grados.**

### VERSIÓN ESTÁNDAR

**1** Si está sentado en una silla, asegure la banda de resistencia en un objeto fijo, más o menos a la altura del pecho. Si está sentado en el piso, doble un poco las rodillas para reducir la tensión en los isquios y pase la banda alrededor de los pies. Si está sentado en una silla o una plataforma elevada, ponga los pies firmes sobre el piso, frente al punto de fijación de la banda. Con un extremo en cada mano, estire los brazos frente a usted a la altura de los hombros, con las palmas una hacia la otra.

**2** Tire de las manos a la altura de su ombligo. Mantenga las palmas una frente a la otra y los codos cerca del cuerpo. Mueva los omóplatos hacia el centro y hacia abajo, conforme hace las manos hacia atrás. Termine cuando tenga las manos a los lados o ya no pueda tirar más de la banda. Para ajustar la resistencia/dificultad, simplemente muévase más cerca (más fácil) o más lejos (más difícil) de la banda sujeta en un punto fijo.

## MÁS FÁCIL

Use la misma posición inicial que en la versión estándar, con las palmas una frente a la otra y tire de una mano primero, dejando la otra al frente. Realice las repeticiones deseadas con un brazo y luego cambie al otro.

## MÁS DIFÍCIL

Para hacer más difícil este ejercicio y trabajar más la parte media/baja del trapecio, trate de realizar el ejercicio con un movimiento más amplio. Empiece en la misma posición que la versión estándar, pero con las palmas hacia el suelo. Ahora jale las manos manteniendo los codos a los lados a la altura de entre el hombro y el pecho. Las manos deben quedar tan separadas como los codos durante este movimiento, que termina al juntar los omóplatos y al poner los codos tan atrás como sea posible.

**⚠**

**Cuide su forma**

El error más común es mecerse durante el movimiento. Asegúrese de comprobar de manera consciente que esté sentado en posición vertical durante todo el movimiento y tense las piernas y el tronco para evitar balancearse al jalar. Si realiza el movimiento lentamente y con control, es más probable que lo realice correctamente.

# Tiro lateral hacia abajo

❭ Tonifica los brazos, hombros y espalda alta.

Este ejercicio es muy similar en movimiento a las flexiones hacia arriba (ver páginas 66 – 67), pero permite una mayor libertad de movimiento en las muñecas, codos y articulación del hombro. También es más fácil que realizar una flexión hacia arriba completa, por lo que es un ejercicio realmente muy bueno para avanzar hacia la realización de flexiones hacia arriba o como sustituto para crear una mayor variedad de ejercicios.

## MÚSCULOS USADOS
**1** Trapecio inferior
**2** Deltoides posterior
**3** Dorsal ancho
**4** Bíceps
**5** Braquiorradial

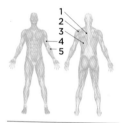

## EQUIPO NECESARIO
Tapete para ejercicios; banda de resistencia; barra para flexiones (opcional).

## OLVÍDESE DE:
Máquina para tiro lateral hacia abajo

### VERSIÓN ESTÁNDAR
**1** Coloque la banda de resistencia de manera segura alrededor de un punto fijo, a la altura del hombro o más arriba (la barra para flexiones es excelente para este uso). Si el punto fijo está a la altura del hombro, tal vez tenga que hincarse para este ejercicio, puesto que necesita tener resistencia de la banda cuando los brazos estén estirados por encima de la cabeza. Empiece con las palmas una frente a la otra, a una separación apenas mayor que el ancho de los hombros, con los codos a los lados.

▶ **2** Jale la banda hacia abajo moviendo los omóplatos hacia el centro, bajando la banda de modo que las manos estén ahora a la altura del hombro. Invierta el movimiento para volver a la posición de inicio. Haga la cantidad deseada de repeticiones.

## MÁS FÁCIL

◀ ▼ Para facilitar un poco este movimiento y para trabajar los bíceps un poco más, gire las palmas una hacia la otra y ponga las manos en una posición más estrecha que el ancho de los hombros. Realice el mismo movimiento pero esta vez mantenga los codos más cerca del cuerpo, metiéndolos en las costillas conforme jala.

## MÁS DIFÍCIL

◀ Para hacer este ejercicio más difícil sólo tiene que tirar con las manos hacia abajo, manteniendo las manos más separadas y creando un arco más amplio conforme desciende. Mantenga las palmas una frente a la otra y los codos hacia afuera, a los lados, durante el movimiento. Esto hará que el dorsal ancho trabaje más.

**!**

**Cuide su forma**

Un error común al realizar este ejercicio es favorecer más un lado que otro, lo que dará por resultado tener un hombro más arriba que el otro o un brazo bien estirado mientras el otro está ligeramente flexionado. Esta situación debe resolverse lo más pronto posible, enfocándose en el lado "débil"; de lo contrario comenzarán a ocurrir desequilibrios entre los músculos, tanto en tamaño como en fuerza. También es muy fácil realizar una repetición más corta y hacer trampa un poco. Haga todo lo posible para que sus repeticiones sean completas, que permitan que músculos y articulaciones se muevan a todo lo que dan. A la larga, esto le beneficiará más.

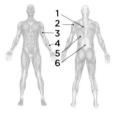

**EQUIPO NECESARIO**
Barra para pesas

**OLVÍDESE DE:**
Máquina de remo
sentado

# Remo inclinado

❯ Tonifica la parte alta de la espalda y los brazos.

**Es un magnífico ejercicio para toda la espalda. Trabaja distintos músculos en diferentes grados y puede usarse como sesión independiente para la espalda. La posición de este movimiento significa que también es estupendo para la postura y la estabilidad.**

### VERSIÓN ESTÁNDAR

**1** Separe los pies a la altura de la cadera; sostenga la barra con las manos a la misma separación de los hombros, con las palmas hacia atrás. Flexione las rodillas ligeramente e inclínese hacia el frente, desde la cadera, manteniendo su columna en una posición neutral. Trate de colocar la espalda lo más horizontal posible (la flexibilidad de la espalda y los isquios juega un papel muy importante en este movimiento). Deje que los brazos cuelguen directamente debajo de los hombros. La cabeza debe mantenerse en línea con la columna, de modo que debe estar mirando el suelo.

**2** Levante la pesa hacia la parte baja de las costillas sacando los codos a los lados y moviendo los omóplatos hacia el centro de la espalda. Baje la pesa lentamente hasta que los brazos vuelvan a quedar rectos. Mantenga el control de la pesa y asegúrese de que la espalda permanezca recta.

## MÁS FÁCIL

Use la misma posición inicial de la versión estándar, pero vuelva las palmas hacia afuera y junte un poco las manos. Ahora tire de la barra hacia su ombligo, jalando los codos hacia atrás, rozando los costados.

## MÁS DIFÍCIL

Use la misma posición inicial de la versión estándar, pero separe más las manos en la barra. Tire de los codos hacia los lados y lleve la barra hacia la parte baja del pecho. Esta apertura más amplia hará que sea más difícil y ejercitará más su trapecio medio.

**Cuide su forma**

Quienes comienzan a realizar este ejercicio a menudo cometen el error de arquear la espalda en lugar de mantenerla recta, ya que es difícil mantenerla así cuando se inclina uno al frente. Trate de empujar el pecho al frente y mantenga los omóplatos jalados hacia atrás mientras contrae con fuerza la espalda baja y los abdominales. Si comienza a perder la postura, enderécese y vuelva a asumir la posición. Es mejor que trabajar con una mala postura.

## MÚSCULOS USADOS

1 **Trapecio medio**
2 **Deltoides posterior**
3 **Bíceps**
4 **Dorsal ancho**
5 Braquiorradial
6 Erector de la columna

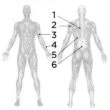

1
2
3
4
5
6

## EQUIPO NECESARIO

Mancuernas; banquillo, banco o pelota de gimnasio.

## OLVÍDESE DE:

Máquina de remo sentado.

# Remo con un solo brazo

❯Tonifica la espalda, la parte trasera de los hombros y los bíceps.

**Es un gran ejercicio que mantiene el cuerpo equilibrado al trabajar cada lado de manera individual para asegurar que su lado más fuerte no compense al lado más débil. Cómo sólo trabaja la mitad de los músculos que en un remo inclinado (ver páginas 62-63), puede levantar pesas más pesadas sin sobrecargar demasiado al sistema cardiovascular.**

## VERSIÓN ESTÁNDAR

**1** Flexione la rodilla derecha, inclínese hacia el frente, desde la cadera, manteniendo la espalda recta y coloque la mano derecha sobre el banquillo, directamente debajo del hombro. Aleje la pierna izquierda del banquillo hasta que sienta que la pelvis está horizontal (puede doblar un poco la rodilla si le cuesta trabajo lograr la posición correcta). Ahora tome la mancuerna en la mano izquierda, con la palma hacia usted.

**2** Junte los omóplatos y levante la mano hacia la cadera. Doble el codo y déjelo rozar el costado del cuerpo mientras trata de llevar la pesa hacia la cadera. Lentamente baje la pesa hasta estirar el brazo y repita el ejercicio.

**MÁS DIFÍCIL**

▲ Comience en la misma posición que la versión estándar, pero en lugar de mantener el codo pegado al cuerpo, muévalo hacia afuera, con la mano apuntando hacia atrás, en línea con el pecho. Cuanto más afuera coloque la pesa, más difícil será el movimiento.

**MÁS FÁCIL**

No hay una manera más sencilla de hacer este movimiento, de modo que si le cuesta trabajo, pruebe reduciendo el peso, realice un movimiento parcial o haga menos repeticiones por serie.

**Cuide su forma**

■ Entre más se canse, más trabajo le costará mantener la espalda recta. Trate de realizar este ejercicio en ángulos rectos y use un espejo para revisar su postura. Si siente que la espalda no está recta, comience de nuevo. Trabajar con una mala postura puede causarle una lesión.

■ El cansancio también puede hacer que lleve el peso hacia el hombro en lugar de hacia la cadera, ya que el trapecio superior es un músculo fuerte que intentará compensar cuando los otros se cansen. Esto significa que en los últimos movimientos debe concentrarse más en la técnica.

## MÚSCULOS USADOS

1 **Trapecio inferior**
2 **Deltoides posterior**
3 **Bíceps**
4 Braquiorradial
5 **Dorsal ancho**
6 Abdominales
7 Erector de la columna

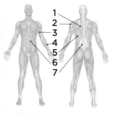

## EQUIPO NECESARIO

Barra para flexiones; banda de resistencia.

## OLVÍDESE DE:

Máquina para flexiones hacia arriba

# Flexiones hacia arriba

❯ Tonifica los hombros, los brazos y la espalda.

Este ejercicio es un buen indicador de la fuerza de la espalda y los bíceps. Requiere muy poco equipo y puede usarse como prueba del avance en su acondicionamiento físico. El reto inicial es poder hacer un solo movimiento completo.

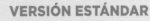

## VERSIÓN ESTÁNDAR

Fije la barra para flexiones a un marco de puerta resistente. Sujete la barra con las palmas hacia el frente, a la altura de los hombros. Comience a jalarse hacia arriba, juntando los omóplatos, hasta que sus hombros lleguen a la altura de la barra. Luego baje lentamente hasta estirar los brazos. Si al inicio no puede realizar una repetición completa, suba lo más que pueda y poco a poco logrará realizar un movimiento completo.

## MÁS FÁCIL

Para hacer este ejercicio ligeramente más fácil y ejercitar más los bíceps, gire las palmas hacia usted y júntelas una distancia menor que el ancho de los hombros. Realice el mismo movimiento que se indica en la versión estándar, pero esta vez mantenga los codos frente al cuerpo, metiéndolos hacia las costillas cuando llegue arriba. Si le parece que este

movimiento es demasiado difícil, pruebe sostener un extremo de una banda de resistencia en cada mano y estirar la banda contra la rodilla o los pies. El elástico le ayudará a crear una fuerza adicional hacia arriba que efectivamente reducirá el peso de su cuerpo.

## MÁS DIFÍCIL

Para hacer que este movimiento, ya de por sí difícil, lo sea todavía más, separe más las manos, con las palmas hacia el frente. Esto hará trabajar al dorsal ancho todavía más. La anchura adicional significa que el rango del movimiento no es tan amplio como en la versión estándar, pero de cualquier forma el ejercicio será más difícil.

**⚠ Cuide su forma**

Con este ejercicio suelen ocurrir errores similares a los que se dan en el tiro lateral hacia abajo (ver páginas 60 – 61). Un error común en este ejercicio es columpiar las piernas frente a usted para ayudar a crear impulso hacia arriba. Esto facilita el ejercicio, pero crea una curvatura extra en la espalda baja, con lo que su posición pierde la alineación correcta. Aunque es muy tentador hacerlo, le conviene más hacer menos repeticiones bien hechas que un número más alto con mala técnica.

# Remo parado

❯ Tonifica los hombros, parte alta de la espalda y los bíceps.

El remo parado es un favorito de muchos usuarios del gimnasio, pero puede provocar dolores en los hombros cuando se realiza con una barra para pesas o con una máquina de barra recta. Esto se debe al movimiento restringido del ángulo fijo de la barra. Esto puede evitarse al utilizar mancuernas o una banda.

### MÚSCULOS USADOS
1 **Trapecio superior**
2 **Deltoides**
3 **Bíceps**
4 Braquiorradial

### EQUIPO NECESARIO
Mancuernas o banda de resistencia.

### OLVÍDESE DE:
Máquina de remo con cable, vertical.

## VERSIÓN ESTÁNDAR

◀ **1** Parado con los pies separados a la altura de la cadera, tome una mancuerna o banda de resistencia en cada mano, con las palmas hacia usted. Si está usando la banda, pise el centro para crear la resistencia deseada.

▶ **2** Mueva las pesas hacia arriba, hacia sus hombros. Mantenga los codos más altos que las muñecas y termine con los codos por encima de la altura de los hombros y las manos frente a los hombros. Ahora invierta el movimiento para volver a la posición inicial.

## MÁS FÁCIL

Comience en una posición similar a la posición de inicio para la versión estándar pero meta las manos desde los lados y póngalas juntas directo frente a usted. Ahora levántelas rectas, de modo que terminen debajo de su barbilla. Es importante que permita a sus muñecas torcerse libremente durante este movimiento. Asegúrese de que los codos queden más arriba que las muñecas.

## MÁS DIFÍCIL

▲ Comience el movimiento como en la versión estándar pero mueva las manos a una posición de conclusión más amplia, de modo que terminen fuera de la línea de sus hombros.

> **!** **Cuide su forma**
>
> La falla más común con este movimiento es levantar las manos demasiado alto, demasiado rápido y terminar con las manos más altas que los codos. Realice el movimiento frente a un espejo y asegúrese de que los codos estén en alto durante todo el ejercicio.

# Flexiones de hombro con banda

❯Tonifica los brazos y los hombros.

**Es un excelente ejercicio para desarrollar los brazos y los hombros. El movimiento en este ejercicio casero es mucho más seguro para la articulación del hombro que el que se hace usando la máquina del gimnasio. Es un gran ejercicio compuesto, muy eficaz si se cuenta con poco tiempo o si quiere asegurarse de obtener todos los beneficios de su ejercicio.**

### MÚSCULOS USADOS

**1 Deltoides**
**2 Tríceps**

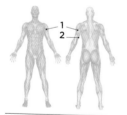

### EQUIPO NECESARIO

Mancuernas o banda de resistencia.

### OLVÍDESE DE:

Máquina de flexiones de hombros.

### VERSIÓN ESTÁNDAR

▲ **1** Comience con una mancuerna o el extremo de una banda de resistencia en cada mano (si utiliza una banda, párese a la mitad para crear la resistencia deseada). Estando de pie, con los pies a una separación no mayor que la altura de la cadera, levante las manos a la altura de los hombros con las palmas hacia abajo.

▶ **2** Asegúrese que su columna esté en posición neutral parándose lo más erguido posible. Luego empuje las pesas o tire de la banda hacia arriba, manteniendo las palmas hacia adelante y arqueando las manos de modo que se junten por encima de su cabeza. Ahora controle el movimiento de retorno hasta la altura de los hombros y repita.

## MÁS FÁCIL

Para facilitar este ejercicio comience con las palmas una frente a la otra y las manos al frente de los hombros y no a los lados. Ahora mantenga las palmas en esa posición y levante directo hacia arriba, hasta que los brazos queden rectos.

## MÁS DIFÍCIL

Para dificultar este ejercicio, comience con las manos en una posición más amplia. Luego siga exactamente los mismos lineamientos de la versión estándar con las palmas hacia adelante y las manos arqueándose para reunirse en la parte alta del movimiento.

**! Cuide su forma**

Cuando la resistencia es demasiado grande o las mancuernas demasiado pesadas, es probable que haga el cuerpo ligeramente hacia atrás, creando un arco más grande en la parte baja de la espalda. Si le ocurre, reduzca la resistencia o el peso hasta que esté listo para progresar. También es posible corregir la forma poniendo un pie ligeramente más adelante, mientras mantiene la posición del ancho de los hombros. Esto ayuda a mantener la pelvis neutral.

# Levantamiento lateral

❭ Tonifica los hombros.

Este ejercicio aísla un pequeño grupo de músculos y puede, por tanto, usarse como una recuperación activa efectiva o para completar una sesión. No debe usarse como ejercicio principal con demasiada frecuencia, ya que no es tan efectivo en cuestión de tiempo como otros ejercicios para los hombros que utilizan varios músculos. Sin embargo, es estupendo para dar una bonita forma a los hombros. Hacer este ejercicio con mancuernas permite que los hombros se muevan con más libertad que al usar una máquina fija, por lo que sentirá menos dolor de hombro que el que le provocaría un ejercicio equivalente en una máquina.

## MÚSCULOS USADOS
**1** Deltoides

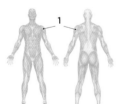

## EQUIPO NECESARIO
Mancuernas o banda de resistencia

## OLVÍDESE DE:
Máquina de flexiones de hombros.

## VERSIÓN ESTÁNDAR
**1** Tome una mancuerna o el extremo de una banda de resistencia en cada mano (si usa la banda, párese a la mitad para crear la resistencia necesaria). Parado con los brazos a los lados, flexione los codos más o menos 30 grados y gire las palmas de modo que estén una frente a la otra. Relaje ligeramente las rodillas y párese lo más erguido posible.

**Cuide su forma**

El error más común en este ejercicio es llevar la pesa demasiado al frente, lo que reduce el esfuerzo en la porción lateral de los hombros. También es un error común poner la pesa directamente al lado, lo que puede provocar problemas para la articulación del hombro. Esto se soluciona concentrándose en la posición durante todo el ejercicio.

## MÁS FÁCIL

Para facilitar el ejercicio doble los codos a 60 grados. Lleve a cabo el movimiento como en la versión estándar y mantenga las pesas a los lados todo el movimiento.

**2** Levante las mancuernas a los lados y hacia afuera (llévelas hacia adelante 10 o 20 grados), manteniendo el mismo ángulo en el codo al mismo tiempo que sigue teniendo la columna en neutral. Levante las manos a la altura de los hombros. Luego devuelva las pesas a los lados en un movimiento lento y controlado.

## MÁS DIFÍCIL

Realizar el movimiento con los brazos bien estirados dificulta el ejercicio (añada una curvatura muy ligera en el codo para su comodidad y para proteger la articulación).

# Levantamiento hacia adelante

❯ Tonifica los hombros.

Se trata de un ejercicio que aísla un pequeño grupo de músculos al frente de los hombros, por lo que puede usarse como recuperación activa o como parte de un circuito de cuerpo completo. Es un gran ejercicio para esculpir los hombros y dejarlos fuertes y bonitos. Realizarlo con mancuernas permite un movimiento libre de los hombros mucho más natural que el que se logra con las máquinas fijas de los gimnasios y se usa una mayor parte del músculo.

## MÚSCULOS USADOS
**1 Deltoides anterior**

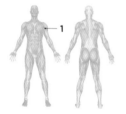

## EQUIPO NECESARIO
Mancuernas o banda de resistencia.

## OLVÍDESE DE:
Máquina para flexiones de hombro.

### VERSIÓN ESTÁNDAR
**1** Tome en cada mano una mancuerna o el extremo de una banda de resistencia. Si usa una banda, párese en la parte de en medio para crear el nivel de resistencia necesario. Párese con los brazos justo frente a usted. Flexione los codos unos 30 gados y gire las palmas de modo que estén frente a usted. Relaje las rodillas ligeramente y mantenga la columna neutral parándose lo más erguido posible.

**2** Levante las pesas hacia arriba, directamente frente a usted, manteniendo el mismo ángulo en los codos mientras conserva la columna neutral. Levante las manos a la altura del hombro. Luego devuelva las pesas a los lados en un movimiento controlado.

## MÁS FÁCIL

Facilite el ejercicio añadiendo una flexión mayor al codo (pruebe con 60 grados). Lleve a cabo el movimiento según la versión estándar y mantenga las pesas directamente frente a usted durante todo el movimiento. Si el cambio de ángulo no le ayuda, entonces puede reducir también el rango de movimiento. La parte más difícil es llegar hasta arriba, así que sólo suba lo más que pueda.

## MÁS DIFÍCIL

Para hacerlo más difícil, trate de realizar el movimiento con los brazos rectos (con una ligera curvatura de los codos para su comodidad y para protección de la articulación). También puede hacer todo el movimiento según se describe, pero detenerse en la parte alta, manteniendo la posición durante hasta 3 segundos.

**! Cuide su forma**

El error más común en este ejercicio es columpiar la pesa hacia adelante, ya sea meciendo el cuerpo desde las caderas o con la parte superior del cuerpo. Si se concentra en la técnica, evitará que esto suceda. Si sigue siendo un problema párese contra una pared, con los pies a unos 15 cm de distancia y la cadera y espalda presionadas contra la pared. Ahora realice el movimiento como se describe. Mientras mantenga esta posición, no podrá "hacer trampa".

# Flexión cabeza abajo

❯ Tonifica los hombros y el tronco.

**Es un excelente ejercicio, pero uno de los más difíciles de todo el libro. Tiene sólo una técnica y no hay modo de hacerlo más sencillo, así que progrese poco a poco para realizarlo, realizando primero todos los demás ejercicios para hombros (ver páginas 70 – 75). Sólo cuando pueda realizarlos con facilidad podrá intentar este ejercicio. Dicho lo anterior, ¡se trata del ejercicio que más impresionará a sus amigos! El equilibrio que se requiere para realizarlo le añade una nueva dimensión como ejercicio de hombros.**

## VERSIÓN ESTÁNDAR

**1** Encuentre una pared que sea lo bastante sólida y alta para que se apoye contra ella. Comience por pararse frente a la pared y colocar las manos como a 30 cm de distancia de la base de la pared, con los dedos apuntando hacia ella. La separación debe ser un poco más que el ancho de sus hombros. Ahora, en un movimiento dinámico, necesita empujar los pies hacia la pared, de modo que quede de cabeza y apoyado en la pared. Contraiga los músculos del cuerpo de modo que el tronco y las piernas queden firmes. Los brazos deben quedar rectos y los codos trabados.

## MÚSCULOS USADOS

**1** Pectoral

**2** Deltoides anterior

**3** Tríceps

**4** Abdominales

**5** Erector de la columna

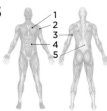

## EQUIPO NECESARIO

Ninguno

## OLVÍDESE DE:

Máquina para flexiones de hombros.

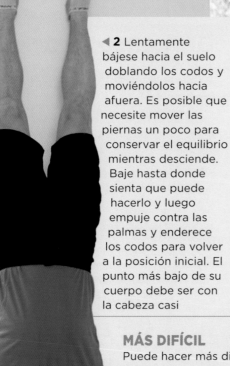

◀ **2** Lentamente bájese hacia el suelo doblando los codos y moviéndolos hacia afuera. Es posible que necesite mover las piernas un poco para conservar el equilibrio mientras desciende. Baje hasta donde sienta que puede hacerlo y luego empuje contra las palmas y enderece los codos para volver a la posición inicial. El punto más bajo de su cuerpo debe ser con la cabeza casi tocando el piso. No permita que la cabeza toque el suelo o se sentirá tentando a meter la barbilla contra el pecho para incrementar el rango del movimiento, pero podría caer y romperse el cuello.

**3** Una vez que haya terminado las repeticiones, empújese de la pared y baje los pies de modo que quede a gatas.

### MÁS DIFÍCIL

Puede hacer más difícil el ejercicio si separa más las manos. Esto limitará el movimiento de los hombros y codos, pero el rango resultante será más difícil de lograr. Si ha dominado el movimiento, puede tratar de realizarlo sin usar la pared. Pero para lograrlo inecesitará la fuerza y el equilibrio de un verdadero gimnasta!

**!**

**Cuide su forma**

El error más común es no comenzar en la posición correcta. Esto se corrige practicando pararse de manos algunas veces, hasta acostumbrarse y así encontrar la distancia adecuada de la pared para crear el mejor punto de equilibrio posible. Si lleva a cabo la parte de descenso del ejercicio sin tener un buen control es porque no tiene la fuerza suficiente para sostener su propio peso. Si esto sucede, debe volver a los otros ejercicios de hombros hasta que pueda controlar este ejercicio con seguridad.

## MÚSCULOS USADOS
1 Pectoral
2 Deltoides anterior
3 Tríceps

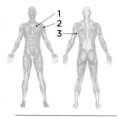

## EQUIPO NECESARIO
Banquillo, silla o banco, más un soporte extra, opcional.

## OLVÍDESE DE:
Máquina para descenso asistido

# Descenso de tríceps

❯ Para fortalecer la parte superior del brazo y los hombros.

**Se trata de un gran movimiento para tonificar los brazos, los hombros y el pecho y es muy usado en los entrenamientos. Al igual que las flexiones (ver páginas 44 – 47), el descenso de tríceps puede hacerse más fácil o más difícil para proporcionar el reto ideal a todos los niveles de acondicionamiento.**

## VERSIÓN ESTÁNDAR
**1** Coloque las manos detrás de usted, a una separación ligeramente mayor que el ancho de los hombros, en una superficie que esté más o menos a la altura de la rodilla (un banquillo, banco o silla) con los dedos apuntando hacia los pies. Estire los brazos de modo que los hombros estén casi sobre las manos. Ahora estire las piernas de modo que la espalda quede apenas enfrente de las manos. Mantenga la cabeza levantada y la espalda recta.

**2** Mantenga el torso y las piernas rígidas, doble los codos y permita que los omóplatos se junten al tiempo que desciende hacia el piso. Mantenga el cuerpo alejado del soporte. Cuando esté como a 5 cm del piso, estire los brazos y vuelva a la posición inicial.

## MÁS FÁCIL

Si al principio este ejercicio le parece demasiado difícil, no se preocupe. Lo único que tiene que hacer es flexionar las rodillas para acercar los pies al soporte. Tenga cuidado de mantener la misma postura que se describe en la versión estándar.

## MÁS DIFÍCIL

**Hay muchas formas de hacer más difícil este ejercicio, pero las dos más eficientes son estas:**

■ Incremente el rango de movimiento en los hombros y los codos poniendo los pies en otro soporte de la misma altura o un poco más elevado que el que ya está usando.

■ Coloque algo pesado en su regazo (cualquier cosa que le resulte cómoda servirá). Ahora realice el ejercicio precisamente en la misma forma.

**Cuide su forma**

Si empieza con las manos muy juntas, este ejercicio puede resultar incómodo. Asegúrese de que estén separadas por lo menos el ancho de los hombros para empezar. Si aleja mucho el cuerpo del punto de soporte, creará una gran presión en las articulaciones del hombro y el ejercicio resultará muy incómodo, por lo que debe tratar de mantener el cuerpo a una distancia de 5 a 10 cm del punto de soporte.

# Curl de bíceps

❯ Tonifica los bíceps.

Es un estupendo ejercicio complementario para usarse como recuperación activa o simplemente para agregarse al final de su rutina de ejercicios. Aísla un grupo de músculos relativamente pequeño, por lo que no pone mucha presión sobre el sistema cardiovascular. Es por ello que puede realizarlo mientras deja que otros músculos, el corazón y los pulmones se recuperen.

**MÚSCULOS USADOS**
1 Bíceps
2 Braquiorradiales

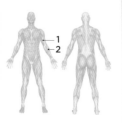

**EQUIPO NECESARIO**
Mancuernas o banda de resistencia.

**OLVÍDESE DE:**
Máquina para curl de bíceps.

## VERSIÓN ESTÁNDAR

◀ **1** Tome una mancuerna o el extremo de una banda de resistencia en cada mano (si va a usar la banda, póngase en el centro de la misma para crear la resistencia correcta). Inicie en posición de pie con la espalda recta y las rodillas ligeramente flexionadas. Las manos deben estar a los costados, con las palmas hacia el frente.

▶ **2** Mantenga los codos metidos a los costados, mientras los flexiona, subiendo la pesa hacia los hombros. Cuando haya alcanzado el punto más alto posible, baje nuevamente la pesa al lado del cuerpo.

**Cuide su forma**

En este ejercicio ocurren errores similares a los del levantamiento hacia adelante (ver páginas 74 – 75). Cuando realice por primera vez el ejercicio, es una buena idea pararse contra una pared como se describe en la página 75 hasta que se acostumbre al movimiento. Otro problema común de este ejercicio es realizar el movimiento en un rango limitado. Debe asegurarse de estirar el codo en la parte de abajo del movimiento, para permitir el desarrollo total del bíceps.

## MÁS FÁCIL

Para hacer este ejercicio más fácil, realice un curl de martillo, que involucra la misma posición inicial que el curl de bíceps pero con las palmas una frente a otra. Realice el curl con las palmas una frente a otra durante todo el movimiento.

## MÁS DIFÍCIL

Para hacer este ejercicio más difícil, empiece con las palmas una frente a otra y conforme suba las pesas hacia los hombros, gire las muñecas de modo que las palmas queden hacia arriba. Debe terminar con las palmas hacia los hombros. Devuelva las pesas a la posición inicial agregando una rotación gradual de la muñeca, para terminar con las palmas una frente a otra.

## MÚSCULOS USADOS

1 Deltoides
2 Tríceps

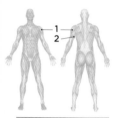

## EQUIPO NECESARIO

Mancuernas o bandas de resistencia.

## OLVÍDESE DE:

Máquina para flexiones de hombros.

# Flexiones de Arnie

> Tonifica los hombros y la parte superior de los brazos.

Es un gran ejercicio para los hombros y los tríceps. Es mejor que utilizar la máquina para flexiones de hombros en el gimnasio, no sólo por la libertad de movimiento que permite, sino también por la mejor rotación en la articulación del hombro y el gran rango de movimiento del codo y el hombro. Sólo hay una versión de este ejercicio, de modo que la dificultad sólo puede cambiarse incrementando o disminuyendo la resistencia.

## VERSIÓN ESTÁNDAR

**1** Parado, sostenga una mancuerna o el extremo de una banda de resistencia en cada mano (si usa la banda, párese a la mitad para crear la resistencia necesaria). Sostenga las mancuernas de modo que descansen en el frente de sus hombros, con las palmas también hacia los hombros.

**2** Estire los brazos por encima de la cabeza y, al mismo tiempo, haga girar los hombros y codos de modo que las palmas queden apuntando al frente en el punto más alto del movimiento. Las mancuernas o las manos deberán estarse tocando ahora directamente sobre su cabeza. Invierta el movimiento para volver a la posición inicial y repítalo.

**Cuide su forma**

Combinar el levantamiento y el giro puede resultar complicado en un principio, por lo que un error común es completar la rotación ya sea demasiado pronto o demasiado tarde. La mejor forma de corregirlo es practicar el movimiento. Cuando los codos estén doblados 90 grados, las palmas deberán estar una frente a la otra.

## MÚSCULOS USADOS

**1** Deltoides
**2** Tríceps
**3** Bíceps

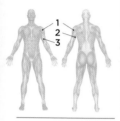

## EQUIPO NECESARIO

Mancuernas o banda de resistencia.

## OLVÍDESE DE:

Máquinas de hacer flexiones de hombro y curl de bíceps.

# Curl y flexión

❭ Tonifica los brazos y los hombros.

Es un excelente movimiento que combina dos ejercicios que activarán, al mismo tiempo, todo su brazo y hombro. Siempre que sea posible es conveniente combinar movimientos para ahorrar tiempo y realmente poner a trabajar el sistema cardiovascular. Este movimiento es particularmente bueno porque da al hombro y brazo un rango muy completo de movimientos: combina extensión, flexión y rotación. Para este movimiento hay sólo una técnica, de modo que si quiere variar la dificultad deberá cambiar la resistencia y la velocidad.

### VERSIÓN ESTÁNDAR

**1** Tome una mancuerna o el extremo de una banda de resistencia en cada mano (si usa la banda, párese a la mitad para crear la resistencia necesaria). Comience de pie, con la espalda recta y las rodillas ligeramente flexionadas. Las manos deben estar a los lados, con las palmas al frente.

**2** Mantenga los codos metidos a los costados al tiempo que los flexiona para levantar las pesas hacia los hombros. Las palmas deben quedar frente a los hombros.

**3** Estire los brazos sobre la cabeza y, al mismo tiempo, haga girar los hombros y codos de modo que las palmas queden hacia el frente al llegar a la parte más alta del movimiento.

**4** Las mancuernas o las manos deben estar casi tocándose y directamente encima de su cabeza. Invierta el movimiento para volver a la posición inicial y repita.

**!**

**Cuide su forma**

Al igual que ocurre en las flexiones de Arnie (ver páginas 82 – 83), la combinación de levantamiento y giro puede llevar a que la rotación se complete demasiado pronto o demasiado tarde. La mejor manera de evitarlo es practicar el movimiento. Como guía, cuando los codos se encuentren en un ángulo de 90 grados, sus palmas deben quedar una frente a la otra. También existe la tentación de columpiar la pesa hacia adelante durante el curl del movimiento. Esto puede reducirse colocando un pie ligeramente más adelante que el otro o reduciendo la velocidad del movimiento.

## MÚSCULOS USADOS
1 **Erector de la columna**
2 **Glúteos**
3 **Cuádriceps**
4 **Isquios**

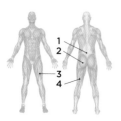

## EQUIPO NECESARIO
Banda de resistencia o barra para pesas.

## OLVÍDESE DE:
Máquina para flexiones de pierna.

# Sentadillas

❯ Tonifica las piernas y la parte baja de la espalda.

Las sentadillas son un ejercicio excelente y mucho mejor que las flexiones de piernas en varios sentidos. Ya que se realizan estando de pie, añaden un componente de equilibrio y, por tanto, usan muchas más fibras musculares para realizar el movimiento. También permiten un movimiento natural sin la restricción del plano fijo de movimiento que se da en las máquinas. Las sentadillas trabajan muchos músculos estabilizadores, lo que hace que el ejercicio sea más útil en una situación de la vida real. Otra ventaja es que se trabaja también la parte baja de la espalda, lo que ayuda a fortalecer el cuerpo como una unidad al coordinar los músculos para que trabajen juntos.

**VERSIÓN ESTÁNDAR**
**1** Coloque los pies separados el ancho de la cadera, con los dedos apuntando al frente y el peso del cuerpo distribuido entre los pies. Mantenga la columna en una posición neutral contrayendo los músculos del abdomen.

**2** Comience sentándose hacia atrás, bajando la espalda en un ángulo de 45 grados. Baje los glúteos lo más que pued sin perder la posición neutral de la espalda. Asegúrese de que las rodillas se mantengan er línea con los dedos de lo pies mientras realiza el movimiento. Empuje el cuerpo hacia arriba y vuelva a la posición de inicio.

## MÁS DIFÍCIL

Puede incrementar la resistencia parándose en el centro de una banda elástica y sosteniendo los extremos en las manos. Colóquese en la parte más baja del movimiento y tense la banda. Ahora levántese manteniendo los brazos a los lados. También puede sostener una barra para pesas sobre los hombros, como se muestra en la ilustración.

## MÁS FÁCIL

Para hacer este ejercicio más fácil, comience por limitar el rango de movimientos, flexionando las piernas hasta donde sienta que puede hacerlo. También puede realizar el ejercicio junto a un soporte, como una silla, que puede usar para mantener el equilibrio.

### ! Cuide su forma

Perder la posición neutral de la columna es muy común y ocurrirá las primeras veces que realice este movimiento. Después de unos cuantos intentos tendrá la noción del movimiento del cuerpo para rectificar este error sin hacer demasiados ajustes. La otra causa importante de este problema es hacer muy profundo el movimiento. La solución obvia es limitar el rango de movimiento. En última instancia, esto se debe a la rigidez de la articulación de la cadera, por lo que es conveniente realizar algunos estiramientos de desarrollo de los flexores de la cadera, glúteos e isquios, como se muestra en las páginas 152 – 155.

# Sentadilla al frente

❯ Tonifica muslos, glúteos y parte baja de la espalda.

La sentadilla al frente es mejor que la máquina de extensión de piernas en muchas formas. Estar parado mientras se hace el ejercicio requiere de equilibrio y se utilizan más fibras musculares en los músculos de estabilización alrededor de la cadera y el tronco. La sentadilla al frente es un gran ejercicio compuesto que utiliza los músculos grandes de la parte baja de la espalda, incluyendo el cuádriceps, isquios, glúteos y la parte baja de la espalda.

## MÚSCULOS USADOS
1 Erector de la columna
2 **Glúteos**
3 **Cuádriceps**
4 Isquios

## EQUIPO NECESARIO
Barra para pesas.

### OLVÍDESE DE:
Máquina para extensión de piernas.

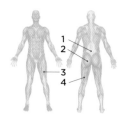

## VERSIÓN ESTÁNDAR
◀ **1** Coloque los pies separados el ancho de los hombros, con los dedos apuntando hacia el frente y el peso del cuerpo distribuido entre los pies. Sostenga la barra para pesas contra la parte superior del pecho o frente a los hombros, con los abdominales contraídos para ayudar a mantener una posición neutral de la columna.

▼ **2** Haga el movimiento de sentarse hacia atrás flexionando las rodillas y la articulación de la cadera. Baje los glúteos tanto como sea posible sin perder la posición neutral de la columna. Asegúrese de que las rodillas permanezcan en línea con los dedos de los pies en todo momento. La parte superior del cuerpo estará más erguida de lo que estaría en una sentadilla estándar, debido a que el centro de gravedad se desplaza hacia adelante.

**3** Cuando esté en la parte inferior del movimiento, impulse hacia arriba el peso de su cuerpo, empujando desde los talones y enderezando las piernas. Termine el movimiento parándose perfectamente derecho y vuelva a la posición inicial.

**Cuide su forma**

⚠️ Es muy común que al realizar este ejercicio se pierda la posición neutral de la columna, pero después de algunos intentos se dará cuenta del problema y podrá rectificarlo sin hacer demasiados ajustes. Otra causa de este problema es hacer que el movimiento sea demasiado bajo, de modo que comience por limitar el rango. En última instancia, esto se debe a la rigidez de la articulación de la cadera, por lo que es conveniente realizar algunos estiramientos de desarrollo de los flexores de la cadera, glúteos e isquios (ver páginas 152 – 155).

## MÁS FÁCIL

La mejor manera de hacer más fácil este ejercicio es reducir el rango de movimiento. El rango debe limitarse a la parte inferior del movimiento y no a la superior. Es decir, no flexione tanto las rodillas o cadera, y llegue a la parte inferior del movimiento antes de alcanzar los 90 grados en esas articulaciones.

## MÁS DIFÍCIL

La mejor forma de hacer este ejercicio más difícil es realizarlo con una pierna a la vez. Esto requerirá de más fuerza y de un mejor equilibrio. Levante una pierna del suelo y póngala un poco al frente. Al descender asegúrese de mantener esa pierna elevada, ya sea estirada al frente o doblada hacia atrás.

**MÚSCULOS USADOS**
**1** Erector de la
  columna
**2** Glúteos
**3** Cuádriceps
**4** Isquios

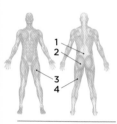

**EQUIPO NECESARIO**
Ninguno

**OLVÍDESE DE:**
Máquina para
flexiones de
pierna y máquina
para extensión de
pierna.

# Sentadilla de pistola

❱ Tonifica las piernas, cadera y espalda baja.

La sentadilla de pistola es uno de los ejercicios más avanzados para la
parte inferior del cuerpo y no sólo requiere fuerza, sino también
equilibrio y flexibilidad. Por esta razón sólo se incluye en rutinas más
avanzadas. Esto no quiere decir que no pueda intentarlo, pero no
espere ser capaz de hacerlo de inmediato. La profundidad de este
movimiento hace que la rodilla se mueva en un rango muy amplio que
crea una mayor presión en torno a la articulación, de modo que es
mejor ir incrementando poco a poco el rango hasta llegar a
completarlo. Puede realizarse en cualquier

**VERSIÓN ESTÁNDAR**
**1** Comience estando de pie
con las manos a los lados del
cuerpo. Levante una pierna
del suelo y sosténgala frente
a usted.

**2** Flexione la rodilla sobre la que está parado, para bajar el cuerpo. Incline la parte superior del cuerpo hacia adelante, desde la cadera, forzando la cadera hacia afuera, detrás de usted, al mismo tiempo que mantiene recta la espalda. Mantenga la cabeza en línea con la columna durante todo el movimiento.

▼ **3** En la parte más baja del movimiento, los glúteos casi tocarán el talón de la pierna de apoyo. La otra pierna deberá estar extendida frente a usted, casi horizontal. Coloque los brazos al frente para ayudarse a conservar el equilibrio. Empuje hacia arriba con el pie y vuelva a la posición inicial.

### MÁS FÁCIL
▲ La única forma de hacer más fácil este ejercicio es sostenerse de un objeto estable, como una silla, para ayudarse con el equilibrio, o realizar un rango más limitado de movimientos. En ambos casos la práctica le ayudará a desarrollar los músculos necesarios para poder realizar el ejercicio completo.

### MÁS DIFÍCIL
La única manera de hacer más difícil este ejercicio, ya de por sí complicado, es sostener unas pesas en las manos mientras realiza el movimiento.

**!**

**Cuide su forma**

Es común que los principiantes no lleguen a la posición más baja. Esto puede deberse a poca flexibilidad en la cadera o la rodilla y hasta en los isquios de la pierna extendida. Para superar estas dificultades, realice algunos estiramientos de desarrollo para estos grupos de músculos (ver páginas 150-153). Estos problemas también pueden presentarse debido a falta de fuerza, algo también común en quienes practican por primera vez este ejercicio. No se desanime. Siga realizándolo lo mejor que pueda y pronto podrá completar una repetición correcta. Otro problema común con los ejercicios en los que se usa una sola pierna es la falta de equilibrio. Si no logra guardar el equilibrio, sujétese (ligeramente) de un objeto estable mientras aprende el movimiento.

## MÚSCULOS USADOS

1 Trapecio
2 Erector de la
   columna
3 Glúteos
4 Isquios

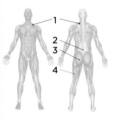

## EQUIPO NECESARIO

Mancuernas o
barra para pesas.

## OLVÍDESE DE:

Máquina para curl
de isquios.

# Peso muerto

> Tonifica las piernas, los glúteos y la espalda.

Este es probablemente el mejor ejercicio
de todo el libro, en términos de su
utilidad, eficacia y necesidad. Es útil
porque duplica un movimiento muy
común de las personas: recoger algo que
se encuentre frente a usted. Es muy
eficiente porque trabaja tantos grupos
de músculos que casi se podría basar una
rutina de entrenamiento en él. En cuanto
a la necesidad, en la vida cotidiana, este
tipo de movimiento causa muchas
lesiones a la espalda baja, porque
muchas personas levantan pesos
incorrectamente y no tienen la fuerza
necesaria para hacerlo con seguridad. En
breve. Lo mejor que puede hacer, es
practicarlo.

## VERSIÓN ESTÁNDAR

1 Párese con los pies separados el
ancho de la cadera y con una barra
para pesas en las manos, con las
palmas hacia usted. Colóquese lo más
erguido posible, con los hombros atrás
y sacando el pecho. La vista al frente.

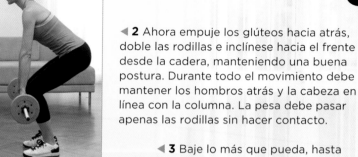

◀ **2** Ahora empuje los glúteos hacia atrás, doble las rodillas e inclínese hacia el frente desde la cadera, manteniendo una buena postura. Durante todo el movimiento debe mantener los hombros atrás y la cabeza en línea con la columna. La pesa debe pasar apenas las rodillas sin hacer contacto.

◀ **3** Baje lo más que pueda, hasta que sienta que se estiran los isquios o que está perdiendo la buena postura. Ahora póngase de pie, erguido, haciendo que la cadera se mueva hacia el frente, hacia la barra, para terminar en la posición inicial.

*(continúa en la siguiente página)*

⚠ **Cuide su forma**

Un problema común es no mantener una buena postura. Siempre es bueno practicar este ejercicio sin la pesa, antes de comenzar (incluso si ya lo ha hecho antes). Si en cualquier momento durante el ejercicio siente que está perdiendo la postura correcta, debe detenerse de inmediato. Vuelva a la posición inicial e inténtelo de nuevo, tratando de concentrarse en corregirla. O tome un descanso y vuelva a comenzar.

## VARIACIÓN AMPLIA

La diferencia en esta técnica es abrir más las piernas, girando los pies hacia afuera más o menos 45 grados. Ahora baje la pesa con el mismo rango de movimientos y postura que en la versión estándar. Esta variación hace que trabajen más los glúteos y la parte interna de los muslos.

## MÁS FÁCIL

▲ Comience sin las pesas (pero ponga las manos al frente como si las estuviera sosteniendo) y utilice un rango menor de movimientos. Muévase sólo lo suficiente para sentir el estiramiento y luego vuelva a la posición inicial.

## MÁS DIFÍCIL

Si es usted muy flexible y le parece que el ejercicio es fácil porque la pesa llega al suelo antes de que usted sienta un estiramiento, trate parándose en una plataforma segura mientras realiza el movimiento. Si se coloca cerca del borde de la plataforma, la pesa no la tocará y usted podrá bajar todavía más, con el consiguiente estiramiento de los músculos.

**⚠ Cuide su forma** Un problema común es mantener la cabeza levantada y mirando al frente cuando está realizando el ejercicio. Esto pone más tensión en los músculos y vértebras del cuello, por lo que debe evitarse. Hágalo bajando la mirada gradualmente, mientras desciende en el movimiento. Si necesita revisar su postura en un espejo, mueva los ojos y no la cabeza.

## MÚSCULOS USADOS

**1** Erector de la
  columna
**2** Abdominales
**3** Glúteos
**4** Isquios

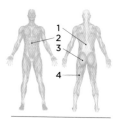

## EQUIPO NECESARIO

Tapete para
ejercicios y pelota
de gimnasia.

## OLVÍDESE DE:

Máquina para curl
de isquios.

# Curl de isquios con pelota

❯Tonifica las piernas, glúteos, parte
baja de la espalda y el abdomen.

**Es un magnífico ejercicio para trabajar los
isquios y el tronco, gracias a que se
requiere guardar el equilibrio al hacerlo.
Se trata de un ejercicio mejor que el que
puede hacerse en el gimnasio, ya que es
menos estable y por lo tanto utiliza los
músculos en todo su potencial.**

## VERSIÓN ESTÁNDAR

▲ **1** Comience tendiéndose boca arriba. Ponga
el pie derecho sobre la pelota de gimnasia,
con el talón en contacto con la pelota y
levante la pierna izquierda del piso, con los
dedos apuntando hacia arriba. Ahora levante
la cadera del piso, de modo que se forme una
línea recta entre los hombros, la cadera, las
rodillas y el tobillo derecho. Esta es su
posición de inicio.

◀ **2** Usando los isquios, ruede la pelota hacia
los glúteos y doble la rodilla derecha. El
movimiento termina cuando ya no puede
rodar más la pelota. Debe mantener la espalda
recta durante todo el movimiento. Luego
invierta lentamente el trabajo hasta volver a la
posición inicial. Complete el mismo número de
repeticiones con cada pierna.

## MÁS FÁCIL

▶ Facilite el ejercicio poniendo los dos pies sobre la pelota. Esto reducirá la carga sobre las piernas y le permitirá acostumbrarse a mantener el equilibrio durante el movimiento, antes de intentar la versión estándar.

## MÁS DIFÍCIL

▼ Para hacer más difícil el movimiento, intente cruzar los brazos sobre el pecho. El equilibrio adicional que se requiere para lograrlo le hará trabajar más el tronco y probablemente hará que el movimiento se vuelva más lento, reduciendo el uso del impulso y, por tanto, aumentando el esfuerzo necesario.

**! Cuide su forma**

Caerse de la pelota puede ser un problema con este ejercicio. Pruebe hacer la versión fácil hasta que se sienta cómodo con el movimiento. Otra falla común es columpiar la pierna que no se está ejercitando para lograr un impulso adicional. Para obtener el máximo beneficio de este movimiento, evite esto manteniendo juntas las rodillas.

# Peso muerto con piernas rectas

❯ Tonifica las piernas, los glúteos y la parte baja de la espalda.

Es una fantástica alternativa al equipo del gimnasio porque la libertad de movimiento que ofrece es mucho mejor que el movimiento restringido que proporciona la máquina con pesas fijas. Además, tiene la ventaja de desarrollar los músculos de la parte baja de la espalda y los glúteos, algo que no puede lograrse con el equipo del gimnasio.

## MÚSCULOS USADOS
1 Abdominales
2 Erector de la columna
3 Glúteos
4 Isquios

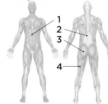

## EQUIPO NECESARIO
Mancuernas o barra para pesas.

### OLVÍDESE DE:
Máquina para curl de isquios.

## VERSIÓN ESTÁNDAR

**1** Párese con los pies separados el ancho de los hombros, con la pesa en las manos. Las rodillas deben estar ligeramente flexionadas. Debe mantener esta posición durante todo el movimiento.

◀ **2** Ahora inclínese hacia el frente desde la cadera, manteniendo una buena postura (los hombros deben estar hacia atrás y la cabeza en alto, de modo que siempre esté alineada con la columna. La línea de la mirada bajará lentamente hacia el suelo durante el movimiento. Dóblese lo más que pueda, hasta que sienta el estiramiento en la parte posterior de las piernas. Mantenga el peso sobre los talones moviendo los glúteos hacia atrás, para conservar el centro de gravedad sobre los pies.

**3** Ahora vuelva a levantar la pesa enderezándose y empujando con la cadera hacia adelante, para concluir en la posición inicial.

### MÁS FÁCIL

Para facilitar el ejercicio, flexione un poco más las rodillas para reducir la tensión sobre los isquios y redistribuir el esfuerzo de manera más equitativa entre otros músculos. Esto permitirá también que las personas menos flexibles puedan realizar el movimiento mientras trabajan en su flexibilidad a lo largo del entrenamiento. Comience sin usar la pesa y poco a poco empiece a usarla, cuando haya practicado bien el movimiento.

### MÁS DIFÍCIL

Para hacer más difícil el ejercicio, pruebe realizarlo con una sola pierna. Esto requiere de mucho más esfuerzo y equilibrio, así que no se apresure a llegar a este punto. Comience sin la pesa para ayudar al equilibrio. Realice el movimiento como se indica en la versión estándar, pero levante la pierna y dóblela hacia atrás. También puede mantenerla al frente, dependiendo de lo que le sea más cómodo. Probablemente tendrá que moverla un poco cuando comience, para ayudar a crear una postura equilibrada.

**!**

**Cuide su forma**

Un problema común es doblarse en la espalda en lugar de hacerlo al nivel de la cadera. Esto no sólo inutiliza el ejercicio, sino que puede ser peligroso y provocarle una lesión. Sin embargo, esto no significa que haya que temerle a este ejercicio. Sólo requiere que lo perfeccione antes de incrementar el peso. Si siente que dobla la espalda, vuelva a la posición inicial y comience otra vez. Vale la pena realizar algunos movimientos de calentamiento sin pesas para que el cuerpo se acostumbre al movimiento. También es común inclinarse demasiado hacia el frente. Esto se evita con facilidad si empuja la cadera hacia atrás antes de comenzar el ejercicio. Si la cadera está directamente sobre los pies en el punto más bajo del movimiento, entonces lo está realizando de manera incorrecta.

## MÚSCULOS USADOS

1 **Erector de la columna**
2 **Glúteos**
3 **Cuádriceps**
4 **Isquios**

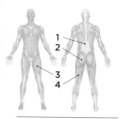

## EQUIPO NECESARIO

Mancuernas o barra para pesas.

## OLVÍDESE DE:

Máquina para flexiones de pierna.

# Flexión de piernas

❯ Tonifica las piernas, los glúteos y la espalda baja.

Este es uno de los mejores y más versátiles ejercicios para la parte inferior del cuerpo. Puede ajustarse para hacerlo más fácil o más difícil y puede alterarse para trabajar músculos distintos, en diferentes rangos. La cuestión es que se trata de un movimiento unilateral, por lo que ayudará a corregir cualquier desequilibrio existente y evitar que ocurran más. Este ejercicio también es excelente para trabajar el tronco y ayudar a mantener una postura estable.

## VERSIÓN ESTÁNDAR

**1** Comience estando de pie, con las manos en la cadera.

**2** Dé un paso al frente con la pierna derecha y doble las dos rodillas noventa grados. Deje la rodilla trasera a unos cuantos centímetros del suelo (tendrá que hacer algunos intentos antes de poder medir la longitud del paso necesario para lograr precisamente esta posición). Ahora empuje con fuerza la pierna derecha hasta regresar a la posición original. El pie izquierdo no debe moverse de su lugar en todo el ejercicio. Asegúrese de levantarse por completo, con la espalda recta y la vista al frente. Puede alternar las piernas o realizar las repeticiones deseadas primero de un lado y luego del otro.

*(continúa en la siguiente página)*

⚠ **Cuide su forma** Dar el paso de un largo incorrecto puede ser un problema al comenzar. No tema. Si no mejora con la práctica, intente colocar algo en el piso, frente a usted y úselo como marcador. Otro error común es inclinar el cuerpo durante el movimiento. Trate de mantener los hombros todo el tiempo directamente sobre la cadera.

## MÁS FÁCIL

Es un movimiento similar al de la versión estándar, así que use la misma posición de inicio y dé el paso como se describe en las páginas 100-101.

Una vez que esté en la posición con las dos rodillas en un ángulo de 90 grados, no empuje para tratar de volver a la posición original. Sólo impúlsese hacia arriba y enderece las dos piernas.

Una vez levantado, flexione nuevamente las rodillas y vuelva a la posición de 90 grados, a la parte baja del ejercicio. Realice este movimiento de flexión y estiramiento el número deseado de repeticiones y luego repita con la otra pierna.

## MÁS DIFÍCIL

▶ Con la misma técnica que se usa para la versión estándar, realice el movimiento sosteniendo una pesas por encima de la cabeza, con los brazos completamente extendidos. Esto incrementará la carga de las piernas y hará más difícil conservar el equilibrio, por lo que más músculos del tronco se activarán. Además, hará un buen trabajo de hombros.

## OTRAS VARIACIONES QUE PUEDE INTENTAR

▶ Si quiere trabajar más los cuádriceps, recorte el paso de modo que esté en una posición más cerrada y compacta.

◀ Si desea trabajar los isquios, haga más amplio el paso, de modo que la pierna trasera no pueda mantener el ángulo de 90 grados. Esto por lo general es más difícil que el ejercicio original.

## MÚSCULOS USADOS

**1** Erector de la
   columna
**2** Abdominales
**3** Glúteos
**4** Cuádriceps
**5** Isquios

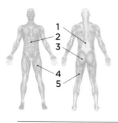

## EQUIPO NECESARIO

Banco o banquillo;
mancuernas.

## OLVÍDESE DE:

Máquina para
flexiones de
pierna.

# Subir el escalón

❯ Tonifica las piernas, el trasero y el tronco.

**Es un gran ejercicio para toda la parte baja del
cuerpo y el tronco, que controla el equilibrio
durante todo el movimiento. Puede hacerse sin
ningún equipo, lo que significa que puede
hacerse al aire libre, en escalones y bancos de
diferentes alturas para variar el grado de
dificultad y lograr un enfoque distinto en
cuanto a los músculos que se utilizan.**

## VERSIÓN ESTÁNDAR

▶ **1** Comience con una pierna levantada de
modo que todo el pie esté en una plataforma
más alta. Coloque las manos en la cadera.

**2** Empuje el pie levantado de modo que el pie
que queda en el suelo se levante. No use la
pierna que queda abajo para crear el
movimiento.

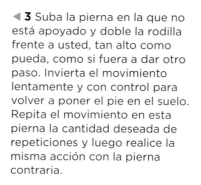

◀ **3** Suba la pierna en la que no está apoyado y doble la rodilla frente a usted, tan alto como pueda, como si fuera a dar otro paso. Invierta el movimiento lentamente y con control para volver a poner el pie en el suelo. Repita el movimiento en esta pierna la cantidad deseada de repeticiones y luego realice la misma acción con la pierna contraria.

**⚠ Cuide su forma**

Iniciar el movimiento con la pierna que queda abajo es un problema común.

Es difícil de evitar, pero debe concentrarse en usar la pierna superior para crear el movimiento, de modo que logre los mejores resultados. También es posible que pierda el equilibrio durante el movimiento. Si esto sucede, retire las manos de la cadera y use los brazos para estabilizarse. Una vez que haya dominado el ejercicio, devuelva las manos a la cadera.

## MÁS FÁCIL

▶ Realice el paso inicial pero no levante la rodilla al final. Esto permitirá que aumente su fuerza sin necesidad de hacer demasiado equilibrio.

## MÁS DIFÍCIL

Realice el movimiento con pesas en las manos y haga curl de bíceps (ver páginas 80-81), flexiones de hombro con banda (ver páginas 70-71), levantamiento lateral (ver páginas 72-73) o levantamiento hacia adelante (ver páginas 74-75) en la parte más alta del movimiento. Esto cansará el resto del cuerpo y también aumentará el reto a su equilibrio.

# Levantamiento de cadera

❯ Tonifica la parte posterior de las piernas y los glúteos.

El levantamiento de la cadera es un ejercicio muy necesario para prácticamente cualquier persona. Esto se debe a que los glúteos con frecuencia están subutilizados, en comparación con otros grupos de músculos de la parte inferior del cuerpo, e incluso el más pequeño desequilibrio puede provocar problemas en los isquios y en los músculos de la parte baja de la espalda, ya que tienden a compensar por los glúteos débiles. Casi todos deben incluir este ejercicio en sus rutinas regulares para asegurarse de evitar este problema potencial.

## MÚSCULOS USADOS
1 Erector de la columna
2 Abdominales
3 Glúteos
4 Isquios

## EQUIPO NECESARIO
Tapete para hacer ejercicio; balón medicinal, banco o banquillo

## OLVÍDESE DE:
Máquina para patada posterior con cable

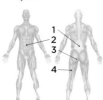

### VERSIÓN ESTÁNDAR

**1** Comience tendido con la espalda en el suelo. Coloque el pie izquierdo en el suelo y levante la pierna derecha (su rodilla izquierda debe estar a 90 grados). Levante la cadera 5 cm del piso.

**2** Ahora levante la cadera lo más que pueda, de modo que se cree una línea recta entre los hombros, la cadera y la rodilla izquierda. La pierna derecha debe mantenerse derecha, con la rodillas juntas. Baje el cuerpo al tapete y deténgase cuando falten unos 5 cm para llegar al piso. No use los brazos para ayudarse a subir.

## MÁS FÁCIL

Comience con los dos pies en el suelo y realice el movimiento usando las dos piernas para levantar la cadera. Una vez que le sea fácil realizar el movimiento, progrese a realizarlo con una sola pierna.

**!** **Cuide su forma**  Evite mecer la pierna levantada para ayudar a crear impulso y facilitar el movimiento. Esto evitará que reciba todos los beneficios del movimiento. Para ayudarse a evitarlo, asegúrese de que las rodillas estén siempre juntas y de que la pierna elevada se mantenga recta.

## MÁS DIFÍCIL

Levante el pie de apoyo colocándolo en un balón medicinal, en un banco o banquillo. El incremento en la altura dará lugar a un rango más completo de movimientos y, por tanto, a un ejercicio más difícil. Si lo hace en una superficie inestable como un balón, el grado de dificultad aumenta, ya que tendrá que trabajar más para estabilizar el movimiento (tenga especial cuidado al trabajar con superficies inestables).

# Patada desde el glúteo

## ❯ Tonifica los glúteos.

**Este es un magnífico movimiento para aislar el glúteo y puede usarse como un buen calentamiento para algunos de los levantamientos más grandes o como ejercicio en sí mismo para mejorar la fuerza y resistencia de los glúteos. Tristemente, los hombres tienden a menospreciar este ejercicio. Inténtelo y verá lo mucho que le ayuda con sus otros levantamientos.**

## VERSIÓN ESTÁNDAR

**1** Comience a gatas, con las manos directamente debajo de los hombros y las rodillas directamente debajo de la cadera. Mantenga una posición neutral de la columna y mire hacia el suelo para mantener la alineación correcta.

**2** Levante una rodilla del suelo y enderece la pierna detrás de usted con el pie terminando a la altura de la cadera (si su flexibilidad lo permite, extienda el pie más arriba, pero sin permitir que gire la pelvis). Regrese la rodilla al suelo y repita.

### MÚSCULOS USADOS
**1 Glúteos**

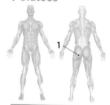

### EQUIPO NECESARIO
Tapete para ejercicio.

### OLVÍDESE DE:
Máquina para patada desde el glúteo con cable.

## MÁS FÁCIL

Asuma la misma posición inicial que en el ejercicio estándar y realice el mismo movimiento, pero esta vez mantenga un ángulo de 90 grados en la rodilla. Este cambio en la longitud de la pierna hará que el ejercicio sea más fácil. Use los mismos lineamientos acerca de cuánto levantar la pierna.

## MÁS DIFÍCIL

Para hacer este ejercicio más difícil, asuma la misma posición inicial, pero levante la rodilla a un lado lo más posible, sin rotar la pelvis. Mueva el pie hacia atrás lo más alto que pueda, estirando la pierna por completo. Regrese la rodilla al piso moviendo la rodilla directo hacia abajo (no la coloque a un lado para bajar).

**! Cuide su forma**

■ Un problema común es extender la pierna demasiado arriba sin tener una buena flexibilidad del flexor de la cadera. Esto hace que la pelvis se incline hacia un lado y tuerza la parte baja de la columna. Si esto sucede, detenga el ejercicio y comience de nuevo.

■ Siempre asegúrese de que la rodilla de apoyo esté precisamente debajo de la cadera. De no ser así, la alineación de la columna no estará correcta.

## MÚSCULOS USADOS
**1** Gastrocnemio
**2** Soleo

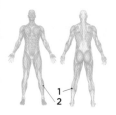

## EQUIPO NECESARIO
Banco o banquillo.

## OLVÍDESE DE:
Máquina para levantamiento de pantorrillas.

# Levantamiento de pantorrilla

❯ Tonifica las pantorrillas.

**Si desea reducir el tamaño de las pantorrillas, el principal problema es la capa de grasa en la parte superior y no el tamaño de los músculos, de modo que perder peso las hará ver más delgadas. Los músculos de la pantorrilla pueden ser difíciles de aumentar y necesitará trabajarlos mucho si desea ver buenos resultados. Se usan mucho en otros ejercicios, pero si quiere aislarlos, pruebe este ejercicio muy sencillo.**

## VERSIÓN ESTÁNDAR
Párese con los pies separados el ancho de la cadera, en un banquillo o banco, o en una colina inclinada, mirando hacia arriba, descansando sobre las puntas de los pies. Mantenga las piernas rectas y baje los talones lo más posible. Luego levántese sobre las puntas lo más alto posible. Baje lentamente a la posición inicial y repita. Cuando más estire la pantorrilla, más efectivo será el ejercicio, así que intente elegir un banquillo o escalón que realmente le permita un rango amplio de movimiento.

## MÁS FÁCIL

▶ Trate de reducir el rango de movimientos comenzando con los pies planos sobre el suelo. Esto evitará que realice el rango completo, pero podrá fortalecer las pantorrillas y trabajar en su equilibrio antes de pasar al movimiento estándar.

## MÁS DIFÍCIL

◀ Para hacer más difícil este ejercicio, trate de realizarlo con una pierna a la vez. Levante un pie del suelo flexionando la rodilla y realice exactamente el mismo movimiento con una sola pierna. Sólo asegúrese de concentrarse en el equilibrio.

! **Cuide su forma**

Un error común es no realizar el rango completo de movimientos. Para corregir esto, asegúrese de alzarse hasta el punto más alto posible y estirarse tanto como pueda en la parte baja del movimiento. Eso permitirá un desarrollo completo de los músculos de la pantorrilla y mantendrá la movilidad de la articulación del tobillo.

# Activación de pantorrillas

❯ Tonifica las pantorrillas.

**Realizar levantamientos de pantorrillas es una buena opción para mejorar estos músculos (ver páginas 110 – 111), pero si desea trabajar los músculos más profundos de las pantorrillas (el soleo), necesita realizar un movimiento similar con las rodillas dobladas para reducir la intervención del gastrocnemio. Como este ejercicio aísla un músculo muy pequeño, no es muy eficiente, de modo que puede realizarlo cuando tenga tiempo suficiente.**

## MÚSCULOS USADOS
1 Gastrocnemio
2 Soleo

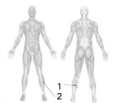

## EQUIPO NECESARIO
Silla, libro o banquillo; balón medicinal u otro peso.

## OLVÍDESE DE:
Máquina para levantamiento de pantorrillas.

**VERSIÓN ESTÁNDAR**
**1** Siéntese con los pies directamente debajo de las rodillas, con las puntas de los pies descansando en un libro o un banquillo. Baje los talones lo más que pueda para estirar los músculos. Coloque un peso sobre sus rodillas para añadir resistencia.

**2** Levante los talones empujando desde la punta de los pies hasta estar sentado de puntas. Asegúrese de levantar las piernas lo más posible. Lentamente vuelva a la posición inicial y repita el movimiento.

## MÁS FÁCIL

Realice el ejercicio de la misma manera, pero no use un banquillo o libro. Esto limitará el rango de movimiento disponible y facilitará la realización. También puede eliminar el peso para reducir la dificultad.

## MÁS DIFÍCIL

Use una pierna a la vez y cruce la pierna inactiva sobre la otra para crear más peso en la pierna activa. Use la misma técnica que en la versión estándar.

**⚠**

**Cuide su forma**

No utilizar un rango completo de movimientos es un error común. Es difícil incrementar el nivel de dificultad de este ejercicio (colocar pesos pesados en el cuerpo puede ser difícil e incómodo) así que asegúrese de subir y bajar al máximo.

## MÚSCULOS USADOS

**1** Erector de la columna

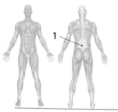

1

## EQUIPO NECESARIO
Tapete para ejercicio.

## OLVÍDESE DE:
Máquina para extensión de la espalda baja.

# Levantamiento de espalda

❱ Tonifica la espalda baja.

**El dolor en la parte baja de la espalda es muy común, de modo que es importante mantener esta área tan fuerte como sea posible. Dado que se trata de un ejercicio de aislamiento que utiliza un área pequeña de músculos, debe usarse junto con otros ejercicios como el levantamiento de peso muerto, que entrena la espalda baja al mismo tiempo que fortalece otros músculos. Esta combinación de aislamiento y ejercicios compuestos hará el mejor uso de su tiempo. Este ejercicio puede usarse para terminar una sesión o como recuperación activa durante una rutina de ejercicios.**

## VERSIÓN ESTÁNDAR

Colóquese boca abajo en el tapete, con las piernas rectas y los pies juntos. Ahora tóquese las sienes con las puntas de los dedos, con los codos levantados del piso. Manténgase mirando hacia abajo y levante el pecho arqueando la espalda baja. Trate de mantener los pies en el suelo durante este movimiento. Ahora baje lentamente al suelo, lo suficiente para tocarlo, pero no tanto que la espalda se relaje por completo. Repita el movimiento.

## MÁS FÁCIL

Para hacer más fácil este ejercicio, simplemente tiene que poner las manos a los lados del cuerpo, con las palmas hacia abajo. Debe tratar de mantenerlas separadas del piso, ya que esto activará algunos de los músculos de la parte superior de la espalda, ayudándole a mantener una buena postura.

## MÁS DIFÍCIL

Para hacer más difícil este ejercicio, simplemente extienda los brazos frente a la cabeza, con las palmas hacia abajo. Este incremento en la longitud del cuerpo hará el ejercicio más difícil.

**! Cuide su forma**

Evite tensar los glúteos para ayudar a generar el movimiento. Si siente que tensa los glúteos, trate de relajarlos lo más posible, ya que se trata de aislar los músculos de la espalda baja. Otra falla muy común es levantar la cabeza demasiado y mecerla hacia atrás, de modo que esté mirando al frente en lugar de hacia abajo. Esto pone una tensión innecesaria en las vértebras del cuello y le da una alineación incorrecta a la espalda. Es muy fácil de corregir si centra la mirada en el piso, directamente debajo, en todo momento.

## MÚSCULOS USADOS

**1** Deltoides posterior
**2** Trapecio inferior
**3** Erector de
la columna
**4** Glúteos

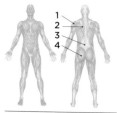

## EQUIPMENT REQUIRED

Tapete para
ejercicio,
mancuernas
(opcional).

## OLVÍDESE DE:

Máquina para
extensión de la
espalda.

# Superman

❯ Tonifica la espalda baja
y los glúteos.

**Este ejercicio trabaja casi todos los
músculos de la espalda, pero se usa
principalmente para fortalecer la espalda
baja. Es un excelente calentamiento para
cualquiera de los ejercicios de la cadena
posterior larga, como los levantamientos
de peso muerto y los cleans. El cuerpo se
encuentra en una posición muy segura, de
modo que se trata de un buen ejercicio
de rehabilitación para personas con
debilidad o problemas de espalda. Pronto
verá de dónde obtiene su nombre.**

## VERSIÓN ESTÁNDAR

**1** Comience por colocarse boca
abajo en el tapete, con los brazos
extendidos por encima de la
cabeza y los dedos de los pies en
punta. Mantenga la mirada clavada
en el suelo.

▼ **2** Ahora levante el brazo
derecho del piso, manteniéndolo
estirado. Al mismo tiempo, levante
la pierna izquierda y estírela.
Levante los miembros estirados lo
más que pueda y vuelva a
bajarlos. Puede repetir el
movimiento durante el número
establecido de repeticiones para
cada lado o alternar los lados
después de cada movimiento.

## MÁS FÁCIL

Si la versión estándar es demasiado difícil para comenzar, pruebe levantando los brazos y las piernas de manera independiente. Levante primero el brazo.

Luego pase a las piernas. Una vez que los domine por separado, avance a moverlos al mismo tiempo.

⚠ **Cuide su forma** Uno de los principales errores es levantar la mirada del piso durante el ejercicio. Esto pone una tensión adicional en el cuello y la columna, así que mantenga la posición neutral mirando hacia abajo. Otro problema suele ser la respiración. Como los pulmones se comprimen al estar acostado sobre ellos, el movimiento se vuelve bastante incómodo si trata de respirar profundamente. Limítese a respiraciones cortas y regulares.

## MÁS DIFÍCIL

Lleve a cabo el ejercicio estándar mientras sostiene una mancuerna en cada mano.

# Abdominales

❯Tonifica los músculos del abdomen.

Las abdominales son un ejercicio que cada vez se ve menos en los gimnasios debido a que la gente descubre ejercicios más aventureros y efectivos para los músculos abdominales. Sin embargo, todavía son muy útiles en una rutina de ejercicios, siempre y cuando se hagan correctamente y sin excederse. Pueden ser un gran inicio para los principiantes y un ejercicio de aislamiento útil para los más avanzados.

## VERSIÓN ESTÁNDAR

▲ **1** Tiéndase sobre la espalda, con las rodillas flexionadas a 90 grados y los pies bien plantados en el piso. Toque las sienes y ponga los codos a los lados. Lleve el ombligo hacia la columna y tense los músculos abdominales.

▼ **2** Levante la cabeza y hombros aproximadamente 25 cm del suelo mientras mantiene la espalda baja en contacto con el suelo. Exhale al subir. Luego regrese lentamente al piso hasta un punto en el que esté casi en el suelo pero todavía tenga los músculos del abdomen contraídos.

## MÚSCULOS USADOS

**1** Abdominales
**2** Oblicuos internos
**3** Oblicuos externos

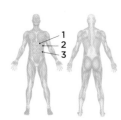

## EQUIPO NECESARIO
Tapete de ejercicios.

### OLVÍDESE DE:
Máquina para abdominales sentado.

## MÁS FÁCIL

▶ Ponga las manos en los muslos y realice el ejercicio como en la versión estándar. Esta posición más corta reducirá el "peso" que está levantando.

## MÁS DIFÍCIL

▼ Estire los brazos sobre la cabeza y realice el ejercicio como en la versión estándar. Esta posición creará más "peso" debido a la biomecánica del ejercicio.

⚠️ **Cuide su forma**

Apresurar el ejercicio puede llevar a un movimiento de tirón y a tensión en la espalda baja. Evítelo controlando el movimiento lentamente. Es un error común apoyar la barbilla contra el pecho. Esto no sólo añade tensión en el cuello, sino que dificulta la respiración. Mantenga la cabeza en línea con la columna, dejando un espacio entre la barbilla y el pecho.

# Abbreviated invertidas

> Tonifican la región del abdomen.

## MÚSCULOS USADOS

**1** Abdominales

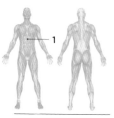

## EQUIPO NECESARIO
Tapete para ejercicio.

## OLVÍDESE DE:
Máquina para levantamiento de pierna.

# Abdominales invertidas

> Tonifican la región del abdomen.

Si se realizan con demasiada frecuencia, las abdominales pueden contribuir a una mala postura (una o dos veces por semana está bien). Hacen más cortos los músculos abdominales, tirando de la caja torácica hacia la pelvis, lo que contribuye a la aparición de jorobas. En cambio, este ejercicio estira los músculos en cuestión y corrige la inclinación de la pelvis (en la que el frente de la pelvis cae por debajo de la parte posterior).

## VERSIÓN ESTÁNDAR
**1** Tiéndase sobre la espalda con las manos a los lados y los pies levantados del piso con las rodillas en un ángulo de 90 grados. Mantenga los hombros y la cabeza en el suelo durante todo el movimiento.

**2** Contraiga los abdominales y levante las piernas y la pelvis hacia la caja torácica, acercando las rodillas lo más cerca posible del pecho. Mantenga el movimiento lento y controlado. Lentamente vuelva a la posición inicial con los pies apenas levantados sobre el piso y repita el movimiento. Mantenga el ombligo pegado a la columna.

## MÁS FÁCIL

Para facilitar este ejercicio, comience en la misma posición que en la versión estándar. Ahora lleve a cabo el movimiento con una sola pierna mientras mantiene la otra quieta. Esto reduce la resistencia y le permite progresar al movimiento con las dos piernas.

## MÁS DIFÍCIL

Trate estirar las piernas, incrementando más la resistencia que se requiere en las abdominales. Esto puede realizarse hasta el punto en que las piernas estén totalmente estiradas a 2.5 cm del piso. Tenga cuidado de no arquear la parte baja de la espalda durante este ejercicio más difícil.

**Cuide su forma**

Evite arquear la espalda realizando el ejercicio lentamente. Tenga cuidado de no columpiar las piernas demasiado afuera, ya que podría provocar tensión extra en el cuello. Acerque las rodillas al pecho y no las deje ir más allá. Empujar los músculos abdominales durante este ejercicio reducirá sus beneficios, de modo que trate de mantenerlos siempre contraídos.

## MÚSCULOS USADOS

1 **Abdominales**
2 Oblicuos internos
3 Oblicuos externos
4 Erector de la
   columna

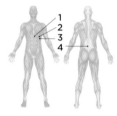

1
2
3
4

## EQUIPO NECESARIO

Tapete; balón
medicinal u otra
pesa.

## OLVÍDESE DE:

Máquina para
abdominales con giro.

# Escuadras

❯Fortalece los músculos abdominales y la
espalda baja.

**Visite cualquier gimnasio del mundo y verá muchos
ejercicios para personas desesperadas por tener un
abdomen de lavadero. La mayoría trabaja un rango
limitado de movimientos y sólo áreas musculares
pequeñas. Las escuadras están diseñadas para trabajar la
totalidad de los músculos del tronco en un solo
movimiento. Este ejercicio requiere de un poco de
equilibrio, pero una vez que lo domine, verá resultados
rápidos. La versión estándar no requiere de ningún
equipo y puede realizarse en cualquier parte.**

## VERSIÓN ESTÁNDAR

**1** Siéntese en el suelo y estire las piernas. Reclínese hasta que comience a perder el equilibrio. Coloque las manos en el piso, detrás de usted, separadas el ancho de los hombros, con los dedos apuntando hacia las piernas y con los codos flexionados. Mantenga la espalda recta y levante los pies del suelo unos 15 cm. Ajuste la posición de la mano y conserve el equilibrio.

**2** Mantenga los pies a unos 15 cm por encima del suelo y tire de ellos hacia los glúteos contrayendo los músculos abdominales y doblando las rodillas. Al mismo tiempo, levante la parte superior del cuerpo hacia arriba y hacia el centro, sin reducir la contracción del abdomen. Acerque las rodillas al pecho. Invierta el movimiento y vuelva a la posición inicial. Use las manos sólo para conservar el equilibrio. No intente empujarse con ellas.

*(continúa en la siguiente página)*

### MÁS FÁCIL

Si no puede realizar una escuadra completa, trate usando una posición del cuerpo más corta, manteniendo las rodillas flexionadas.

También puede descansar los pies en el suelo tan ligeramente como pueda y luego realizar el movimiento dejando que el piso le ayude a conservar el equilibrio conforme haga el movimiento. Esto funciona mejor en un piso de madera o con mosaico.

**⚠ Cuide su forma**

Al principio probablemente le ocurra que pierda el equilibrio y no pueda evitar tocar el piso con los pies. No se preocupe. Con un poco de práctica podrá controlarlo. También es posible que al principio tenga dificultad para mantener la espalda recta. Si esto sucede, acorte el movimiento para que sólo pueda lograr una posición semi-recogida con las rodillas ligeramente flexionadas y la parte superior del cuerpo sin moverse demasiado de la vertical.

## MÁS DIFÍCIL

Sostenga la posición extendida del ejercicio pero permita que las rodillas se flexionen ligeramente. Ahora sujete algo pesado (puede comenzar con un cojín para acostumbrarse al movimiento) y mientras sostiene la posición extendida, gire el cuerpo de izquierda a derecha. Repita este movimiento durante el número deseado de repeticiones.

## MUSCULOS USADOS

**1** Erector de
la columna
**2** Abdominales

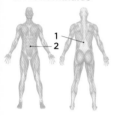

## EQUIPO NECESARIO

Tapete para
ejercicio.

## OLVÍDESE DE:

Máquina para
abdominales.

# Lagartijas

❯ Tonifica los músculos del
tronco y el área del abdomen.

**Este movimiento puede
encontrarse en todas las clases de
ejercicios abdominales del mundo
y tiene variaciones en la mayor
parte de las clases de yoga y
Pilates. Aunque sólo requiere una
posición, que se mantiene durante
un cierto período de tiempo, está
lejos de ser un ejercicio fácil.**

## MÁS FÁCIL

▶ Este ejercicio puede ser difícil para
los principiantes. Intente la posición
desde las rodillas (lo que reduce la
longitud del cuerpo y hace que la
biomecánica sea más sencilla). La
única diferencia entre esta posición y
la versión estándar es que sus rodillas
descansan en el suelo. Mantenga la
línea recta entre los hombros, cadera
y rodillas.

## VERSIÓN ESTÁNDAR

▲ Descanse sobre los dedos de los pies, con las
piernas separadas el ancho de la cadera, y sobre
los antebrazos de modo que los codos queden
precisamente debajo de los hombros. El ángulo
de los antebrazos puede ajustarse según le sea
más cómodo. Prepare todo el cuerpo
contrayendo los músculos del tronco. Esto le hará
formar una línea recta entre los hombros, la
cadera, las rodillas y los tobillos. Respire de
manera regular y sostenga la posición.

## MÁS DIFÍCIL

▶ Tome precisamente la misma posición pero coloque las manos en el piso, al nivel del pecho y ligeramente más separadas que el ancho de los hombros. Esta posición puede ajustarse según le resulte más cómoda. Es una posición más difícil para los hombros y el pecho, pero más sencilla para los abdominales.

▼ Todavía más difícil es realizar el ejercicio con una pierna levantada del suelo. Esto pondrá más tensión en los abdominales y también en el músculo flexor de la cadera. Pruebe alternando las piernas para mantener un físico equilibrado.

**!**

**Cuide su forma**

Si baja la cadera, es una indicación de que no tiene la fuerza suficiente para mantener la posición correcta. Esto dará como resultado dolores de espalda a la larga. También es muy común la reacción contraria, es decir, elevar demasiado la cadera. Esta posición hace que el ejercicio se sienta más fácil y suele ocurrir cuando usted se cansa. Trate de mantener la cadera lo más pareja posible. En cuando sienta que se sale de la línea, deténgase, descanse y comience de nuevo.

# Lagartijas laterales

❯ Tonifica el área del abdomen.

Se trata de un ejercicio que a primera vista parece fácil, dado que lo único que tiene que hacer es asumir una posición y conservarla. Por desgracia, no lo es tanto. Es un ejercicio excelente para los músculos del tronco y, por lo tanto, le ayudará con muchos otros ejercicios, mejorará su estabilidad y creará una base sólida.

## VERSIÓN ESTÁNDAR

Tiéndase de costado en el tapete y coloque un pie directamente sobre el otro. Sus piernas estarán una sobre la otra y las rodillas juntas. Ahora levántese sobre el antebrazo que queda abajo, manteniendo el codo directamente bajo el hombro. Una vez que sus pies y brazo estén en posición, levante la otra mano hacia arriba. Ahora contraiga los músculos del cuerpo y levante la cadera del tapete hasta que forme una línea recta con los pies, las rodillas, cadera y hombros. Mantenga la cabeza en una posición que esté completamente en línea con la columna y mire al frente. Ahora sostenga esta posición durante el tiempo indicado.

## MÚSCULOS USADOS

1 Abdominales
2 Erector de la columna
3 Oblicuos internos
4 Oblicuos externos

## EQUIPO NECESARIO
Tapete para ejercicio.

## OLVÍDESE DE:
Máquina para torsión abdominal.

## MÁS FÁCIL

◀ Para facilitar el ejercicio, use el mismo inicio de la versión estándar, pero levántese sobre las rodillas. Es posible que necesite cruzar los pies para que la posición sea más cómoda, pero en tanto las rodillas estén juntas, su posición estará bien. Este "acortamiento" del cuerpo hará que la posición sea más manejable y podrá prepararse para progresar hacia el movimiento completo.

## MÁS DIFÍCIL

▶ Para hacer más difícil este ejercicio, puede levantar la pierna superior. Esto hará trabajar más la pierna de abajo y creará una posición menos estable, obligándole a trabajar más para mantener la postura. Sólo necesita separar las piernas unos centímetros, pero entre más las separe, mejor.

**⚠ Cuide su forma**

Es posible que, al asumir la posición o conforme repita el ejercicio, la cadera rote demasiado hacia delante o hacia atrás. Revise su posición cada cinco segundos para asegurarse de no perder la forma perfecta. Dejar caer o levantar demasiado la cadera, saliéndose de la posición, ocurre cuando uno se cansa, ya que cambiar de posición puede hacerle sentir que el ejercicio es más fácil. Y aunque así sea, no es tan efectivo, de modo que revise la posición cada cinco segundos. Trate de hacer el ejercicio delante de un espejo para que pueda vigilar lo que hace.

## MÚSCULOS USADOS

**1** Pectorales
**2** Deltoides
**3** Abdominales
**4** Oblicuos internos
**5** Oblicuos externos

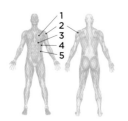

## EQUIPO NECESARIO

Tapete para
ejercicio.

## OLVÍDESE DE:

Máquina para
abdominales.

# Caminado de manos

**❯** Tonifica el tronco y los hombros.

Este ejercicio es fantástico para los que están
ligeramente más avanzados. Es difícil sin importar la
buena condición física que se tenga. Conforme su fuerza
aumente, el rango de movimiento se incrementará. Hay
tanto espacio para el desarrollo que es muy poco
probable que alguna vez deje de costarle trabajo. ¡Le
hará preguntarse para qué se molestó alguna vez con la
máquina para abdominales!

## VERSIÓN ESTÁNDAR

**1** Comience parado. Inclínese
al frente y coloque las
manos en el suelo, frente a
usted. Desde aquí, es
simplemente un proceso de
mover las manos cada vez
más lejos de los pies.

▶ ▼ **2** Camine con las manos, separándolas lo más posible de los pies, moviéndose alrededor de 15 cm cada vez. Una vez que crea que ha llegado a su límite, gradualmente regrese con las manos caminando hacia los pies. Vuelva a la posición inicial y repita. Tome nota mental de cuánto avanzó y úsela para su siguiente movimiento. Asegúrese de mantener la espalda recta durante este movimiento y trate de no torcer el cuerpo durante cada avance.

*(continúa en la siguiente página)*

## MÁS FÁCIL

▶ Para Hacer que este ejercicio sea más sencillo, comience arrodillado en lugar de parado.

▼ Realice el mismo movimiento que en la versión estándar, caminando las manos hacia delante, pero en esta posición más corta le será más sencillo.

## MÁS DIFÍCIL

▶ ▼ Bájese más allá de la posición para hacer flexiones y lleve las manos más adelante de la altura de los hombros. Tenga cuidado de no dejar caer la cadera durante el movimiento. Asegúrese de estar concentrado y mantener los músculos abdominales contraídos. Es mejor tener la cadera ligeramente arriba que demasiado abajo.

⚠️ **Cuide su forma**

Un problema común es torcer el cuerpo con cada "paso" que den las manos. Puede reducir el movimiento si coloca los pies más separados. Una vez que haya logrado bajar más allá de la posición de flexiones, existe la tendencia de dejar caer la cadera y colgarla. Concéntrese en contraer con fuerza los músculos abdominales.

## MÚSCULOS USADOS

1 **Trapecio**
2 **Erector de la columna**
3 **Bíceps**
4 **Glúteos**
5 **Cuádriceps**
6 **Isquios**

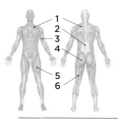

## EQUIPO NECESARIO

Barra para pesas, mancuerna o banda de resistencia.

## OLVÍDESE DE:

Máquina para remo parado con cable.

# Clean colgado

❯ Tonifica los brazos, piernas, espalda y tronco.

**Es un gran ejercicio para los que están ligeramente avanzados. Requiere coordinación, fuerza, energía y flexibilidad. Usa tantos músculos que requiere de una buena forma cardiovascular y resistencia. Este puede considerarse como el último paso antes de realizar el "clean" (ver páginas 92 – 95), ya que la técnica es ligeramente más sencilla. Una buena manera de progresar hacia esta técnica es practicar pesos muertos (ver páginas 92 – 95) y remo parado (ver páginas 68 – 69). Practicar estos ejercicios le permitirá aumentar su coordinación y su fuerza para dominar los movimientos del clean y del clean colgado.**

## VERSIÓN ESTÁNDAR

**1** Párese con los pies separados el ancho de la cadera, con la cabeza hacia el frente, los hombros atrás y una barra para pesas, mancuerna o banda de resistencia en las manos (si usa la banda, párese a la mitad para crear la resistencia deseada), con las palmas hacia atrás.

**2** Doble las rodillas, mueva la cadera hacia atrás e incline el cuerpo hacia adelante. Deje que los brazos caigan directamente por debajo de los hombros, con los brazos estirados. Dóblese hasta que la pesa quede justo debajo de las rodillas.

*(continúa en la siguiente página)*

▲ ▶ **3** En un movimiento rápido pero controlado, enderece las piernas. En el momento en que las piernas estén casi derechas y usted esté casi parado, comience a tirar de la pesa hacia arriba, manteniéndola cerca del cuerpo. Es importante coordinar este movimiento para permitir que el impulso pase a la parte superior del cuerpo. Saque los codos a los lados y tire con las manos hacia arriba, hacia los hombros. El objetivo es llegar con la barra a la altura de los hombros y luego devolverla, con control, hacia la cadera.

**4** Deje que el impulso le lleve hacia arriba y le ponga de puntas. Sólo tenga cuidado de llegar a este punto gradualmente, ya que al principio le será difícil equilibrarse.

**Cuide su forma**

■ El error más común entre los principiantes es no coordinar el movimiento correctamente. Esto se ve cuando el levantamiento se realiza a la altura de la cadera y luego se detiene antes de usar la fuerza de la parte superior del cuerpo para levantar la pesa a la altura de los hombros. El movimiento se verá extraño y, en última instancia, reducirá la cantidad de peso que pueda levantar. El impulso lo generan las pierna y le ayuda a tirar del peso, ya que la parte baja del cuerpo normalmente será más capaz de general una buena cantidad de fuerza y energía.

■ Otro error común es levantar la pesa lejos del cuerpo. Manténgala cerca del cuerpo y hágala seguir una línea vertical. Así limitará cualquier balanceo del cuerpo y reducirá la tensión innecesaria en la columna y los músculos de la espalda.

**LA PRÁCTICA HACE AL MAESTRO**
No hay forma de cambiar la dificultad de este ejercicio, salvo ajustar el peso, pero recuerde que se trata de un movimiento complicado, así que comience con poco peso y vaya incrementándolo. Vale la pena comenzar por levantar algo tan liviano como el mango de una escoba, para permitirle realizar la técnica lentamente y de manera controlada antes de intentarlo con una pesa de verdad.

# Clean

❭ Tonifica las piernas y el tronco.

**Es otro excelente ejercicio para los más avanzados. Requiere coordinación, fuerza, energía y flexibilidad. Usa muchos músculos, principalmente de la cadena posterior, de modo que es excelente para contrarrestar los efectos de estar sentado en una oficina todo el día. Asegúrese de haber practicado bien los pesos muertos (ver páginas 92 – 95) y el remo parado (ver páginas 68 – 69) antes de intentar este.**

## VERSIÓN ESTÁNDAR

**1** Párese con los pies separados entre el ancho de la cadera y los hombros, con la cabeza hacia el frente, los hombros atrás y la barra para pesas, mancuerna o banda de resistencia en las manos (si usa la barra de resistencia, písela en el medio para crear la resistencia deseada), con las palmas hacia usted.

## MÚSCULOS USADOS

**1** Trapecio
**2** Erector de la columna
**3** Bíceps
**4** Glúteos
**5** Cuádriceps
**6** Isquios

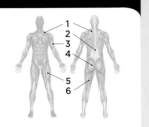

## EQUIPO NECESARIO

Mancuerna, banda de resistencia o barra para pesas.

## OLVÍDESE DE:

Máquina para remo parado con cable.

**2** Doble las rodillas, mueva la cadera hacia atrás e inclínese hacia adelante con la parte superior del cuerpo. Deje que los brazos caigan estirados, directamente debajo de los hombros. Dóblese hasta que la pese se encuentre apenas por debajo de las rodillas. Asegúrese de mantener la columna en una posición neutral durante todo el ejercicio.

*(continúa en la siguiente página)*

**⚠ Cuide su forma**

Un error muy común es levantar el peso alejándolo del cuerpo. Siempre trate de mantenerlo cerca y hágalo seguir una línea vertical.

◀ ▶ **3** En un movimiento rápido pero controlado, enderece las piernas. En el momento en que estén casi derechas y usted casi parado, comience a tirar de las pesas verticalmente, manteniéndolas cerca del cuerpo. Es importante que coordine el movimiento para dejar que la mayor cantidad de impulso le ayude a cargar la pesa hasta la parte superior del cuerpo. Saque los hombros a los lados y tire de las manos hacia los hombros.

▲ ▶ **4** Cuando la pesa llegue a una altura por debajo de los hombros, deje caer los codos debajo de la pesa y hacia los costados del cuerpo al mismo tiempo que cambia la posición de las muñecas en la pesa, para que las palmas queden hacia el frente y las muñecas y los codos estén por debajo de la barra. El peso debe descansar sobre el pecho y los hombros. De manera controlada, invierta el movimiento para volver a la posición inicial.

**!**

**Cuide su forma**

Consulte la información en la página 137, ya que existen problemas similares con este ejercicio que con el clean colgado. Un problema adicional con este ejercicio en particular es llevar la pesa a la posición correcta girando las muñecas y bajando los hombros. Se trata de una técnica difícil de entender, así que practique con pesas livianas o con el mango de una escoba. Realice el ejercicio frente a un espejo y muévase lentamente de modo que pueda revisar su técnica. Acelere cuando se sienta cómodo.

## MÚSCULOS USADOS

1 **Trapecio**
2 **Deltoides**
3 **Erector de la columna**
4 **Bíceps**
5 **Tríceps**
6 **Glúteos**
7 **Cuádriceps**
8 **Isquios**

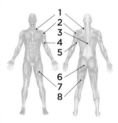

## EQUIPO NECESARIO

Mancuerna, banda de resistencia o barra para pesas.

## OLVÍDESE DE:

Máquina para remo parado con cable.

# Clean y flexión

❯ Tonifica los brazos, piernas, espalda y tronco.

**Este ejercicio definitivamente es para los más avanzados y es una progresión directa del clean (ver páginas 138 – 141), ya que añade una flexión de hombro al final del movimiento. Incrementa el uso del deltoides y del bíceps y añade una inestabilidad que someterá a su tronco a una verdadera prueba, incluso para los más atléticos.**

## VERSIÓN ESTÁNDAR

**1** Párese con los pies separados al ancho de los hombros o la cadera, con la cabeza mirando al frente, los hombros atrás y la pesa, mancuerna o banda de resistencia en las manos (si usa la banda de resistencia, písela en el medio para crear la resistencia deseada), con las palmas hacia usted.

▼ ▶ **2** Doble las rodillas, saque la cadera hacia atrás e inclínese hacia el frente con la parte superior del cuerpo. Deje que los brazos caigan directamente debajo de los hombros, con los brazos estirados. Baje hasta que la pese esté por debajo de sus rodillas. Asegúrese de mantener la espalda recta.

*(continúa en la siguiente página)*

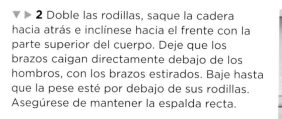

**⚠**

**Cuide su forma**

Durante este ejercicio pueden presentarse problemas similares a los que surgen en el clean (ver página 141). Otros problemas pueden estar relacionados con ser demasiado explosivo al nivel de las piernas. Si trata de moverse demasiado rápido, sin contraer la espalda tanto baja como alta, entonces la cadera se moverá con más rapidez que los hombros, lo que hará que combe la espalda. Para evitarlo, contraiga los músculos de la espalda y el tronco antes de comenzar el movimiento.

▶ **4** Saque los codos a los lados y tire de las manos hacia arriba, hacia los hombros. Cuando la pesa llegue a una altura por debajo de los hombros, baje los codos debajo de la pesa y a los costados, mientras cambia la dirección de las muñecas debajo de la pesa, de modo que las palmas queden ahora hacia el frente, con las muñecas y los codos por debajo de la barra, con la pesa descansando sobre el pecho y los hombros.

▲ **3** En un movimiento rápido pero controlado, enderece las piernas. Cuando estén estiradas casi por completo y usted esté casi parado, comience a tirar de la pesa verticalmente, manteniéndola cerca del cuerpo. Es importante coordinar este movimiento para permitir que el impulso pase hacia la parte superior del cuerpo.

▶ **5** Desde esta posición, necesita realizar una flexión de hombros. Estire los brazos levantando la pesa directamente por encima de su cabeza, con los hombros a los lados y manteniendo la posición neutral de la columna y la cabeza mirando al frente. Puede ayudar a generar más fuerza si flexiona ligeramente las rodillas y las sube al comenzar el movimiento hacia arriba. De una manera controlada, invierta el movimiento para regresar la pesa a la posición de la cadera y luego repita el movimiento.

◀ En la parte alta del movimiento, la pesa debe estar directamente sobre los hombros y la cadera, al mismo tiempo que mantienen la columna en una posición neutral.

## LA PRÁCTICA HACE AL MAESTRO

La única manera de cambiar el grado de dificultad de este ejercicio es variar el peso, pero antes de intentar este levantamiento, obsérvese en un espejo, sin la pesa, para estudiar sus movimientos. Esto le ayudará a evitar el desarrollo de malos hábitos.

## MÚSCULOS USADOS

**1** Trapecio superior
**2** Deltoides posterior
**3** Erector de la
   columna
**4** Glúteos
**5** Cuádriceps
**6** Isquios

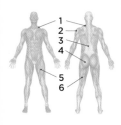

## EQUIPO NECESARIO

Mancuerna o pesa
con asa.

## OLVÍDESE DE:

Máquina para remo
parado con cable.

# Levantamiento con un solo brazo

❯ Tonifica los brazos, los hombros y la espalda.

Es un ejercicio estupendo para casi todos los aspectos de la condición física, ya que trabaja tantos músculos que es una verdadera prueba para sus habilidades. Es una técnica difícil de dominar y sólo deben llevarse a cabo una vez que haya entrenado por algún tiempo y se considere como intermedio, por lo menos. Una vez que pueda realizarlo con seguridad, verá que es un excelente ejercicio para hacerlo cuando quiera realmente esforzarse o cuando tenga poco tiempo. No hay forma de hacer este movimiento más sencillo o más complicado, excepto variando el tamaño de la pesa. Si lo realiza con una pesa liviana, puede usarlo como un calentamiento estupendo para todo el cuerpo e incluso un rápido ejercicio cardiovascular. Solo elija una pesa que le permita hacer el movimiento repetido durante más de 60 segundos.

**Cuide su forma**

Uno de los errores más comunes es no realizar el ejercicio en un movimiento fluido. Es un problema difícil de notar, pero con frecuencia es resultado de hacer el ejercicio demasiado despacio y no crear el impulso suficiente para completar el movimiento en un solo golpe. Esto llevará a una pausa en el hombro, antes de la flexión del hombro usada para completar el movimiento. Supere este problema tratando de visualizar el movimiento de la pesa y la acción de los músculos antes de comenzar. Como en todos los ejercicios, si esto sigue pasando, reduzca el peso hasta que pueda mantener la forma correctamente.

## VERSIÓN ESTÁNDAR

◀ **1** Párese con los pies separados el ancho de la cadera, con una pesa con asa en una mano y la otra sobre la cadera, los hombros atrás, el pecho al frente y mirando hacia adelante. Ahora empuje los glúteos hacia atrás, doble las rodillas e inclínese hacia el frente desde la cadera, manteniendo una buena postura. Los hombros deben mantenerse hacia atrás y la cabeza en línea con la columna durante todo el movimiento.

▶ **2** Baje lo más que pueda, hasta que sienta que se estiran los isquios o si siente que comienza a perder una buena postura. La pesa debe colgar directamente debajo del hombro y pasar junto a las rodillas sin hacer contacto.

*(continúa en la siguiente página)*

**3** En un movimiento explosivo, párese derecho, subiendo la pesa en posición vertical. Una vez que las piernas estén derechas, use el impulso para levantar la pesa por encima de la cadera, llevando

el codo a un lado, con la pesa a la altura del hombro y con la palma hacia el pecho. En este punto, el codo debe estar más alto que la muñeca.

**4** Con un giro de la muñeca y una rotación del hombro, siga levantando la pesa hasta que el brazo quede derecho y vertical.

⚠️

**Cuide su forma**

Un error común es columpiar la pesa lejos del cuerpo en lugar de moverla en una línea vertical. Si siente que le sucede, realice el ejercicio sin pesa y haga el movimiento más lento para ver exactamente cómo se siente realizarlo de manera correcta.

## MÚSCULOS USADOS

**1** Bíceps
**2** Dorsal ancho
**3** Braquiorradial
**4** Abdominales

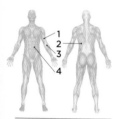

## EQUIPO NECESARIO

Barra para flexiones.

## OLVÍDESE DE:

Máquina para colgado de piernas.

# Levantamiento de pierna colgada

❯ Tonifica los brazos y el tronco.

**Este ejercicio no sólo trabaja los abdominales de manera exhaustiva, con un enfoque mayor en la parte inferior, sino que, por el uso de la barra de flexiones que proporciona una posición colgante, causa también una estupenda contracción isométrica que trabaja los antebrazos, los bíceps y el dorsal ancho. Este ejercicio es muy flexible y puede hacerse más fácil o más difícil sin necesidad de detener la serie que esté realizando y puede ajustarse para trabajar más los oblicuos.**

## VERSIÓN ESTÁNDAR

▶ **1** Asegure la barra para flexiones en el marco de una puerta resistente. Sujétese de la barra con los brazos separados el ancho de los hombros y las palmas al frente. Ahora soporte todo el peso del cuerpo con los brazos, levantando los pies del suelo algunos centímetros. Si la altura de la barra naturalmente lo levanta del piso, sólo cuelgue con las piernas rectas.

▼ **2** Desde esta posición colgada, lleve las rodillas al pecho, doblándolas. Cuanto más alto pueda colocarlas, mejor. Lentamente baje las piernas a la posición de inicio y repita.

## MÁS FÁCIL

▲ Asuma la misma posición inicial que para la versión estándar, pero en lugar de levantar las dos piernas, levante sólo una a la vez. Mantenga la otra pierna colgada en la posición inicial original. Puede alterar las piernas o realizar una serie con un lado y luego descansar mientras realiza la serie con el otro lado.

## MÁS DIFÍCIL

▲ Asuma la misma posición inicial que para la versión estándar, pero esta vez suba las rodillas lo más posible mientras mantiene las piernas estiradas. Deberá terminar con los pies más altos que las rodillas.

## VARIACIONES

Para trabajar los oblicuos en mayor medida, trate de levantar las piernas ligeramente hacia un lado o gire el cuerpo mientras las levanta.

 **Cuide su forma** Un error muy común es mecer las piernas durante el movimiento para ayudar a generar impulso y facilitar el ejercicio. Evítelo realizando el movimiento lentamente y con control y preste particular atención al movimiento de descenso.

# Estiramientos

**Estirarse es parte integral del ejercicio y es importante para la salud y el bienestar en general Los estiramientos pueden realizarse antes del ejercicio, pero resultan más benéficos después de la rutina de entrenamiento. Los músculos estarán más calientes y plegables, de modo que estirar después le ayudará a devolver a las fibras musculares su longitud total y, si se realiza con regularidad, las hará más largas, lo que le permitirá un rango de movimientos más amplio en las articulaciones.**

### ESTIRAMIENTO DE PANTORRILLA

Mueva una pierna hacia atrás y pase el peso del cuerpo hacia adelante. Mantenga la pierna estirada, con el dedo gordo del pie en el suelo, y empuje el talón hacia el piso. Si el tobillo toca el suelo fácilmente, mueva el pie más atrás. Una vez que haya encontrado la distancia apropiada que le permita al talón apenas tocar el suelo, manténgala.

### ESTIRAMIENTO DE ISQUIOS

Coloque la pierna al frente de la cadera, más o menos a 30 cm de distancia. Inclínese al frente desde la cadera, manteniendo la pierna estirada. Si desea estirar los isquios ligeramente más arriba, entonces flexione la rodilla ligeramente. Algunas personas encuentran más fácil realizar un buen estiramiento de isquios colocando el talón sobre una silla o banquillo.

### ESTIRAMIENTO DE CUÁDRICEPS

Parado, doble la rodilla y tire del talón hacia los glúteos, manteniendo las rodillas juntas. Asegúrese de hacer un esfuerzo por relajar los cuádriceps cuando los estire.

### ESTIRAMIENTO DE GLÚTEOS

Estando de pie, levante el pie derecho y colóquelo apenas por encima de la rodilla izquierda. Tire de su rodilla izquierda hacia arriba, lejos del cuerpo, hasta que sienta cómo se estiran los glúteos. Repita de los dos lados. Si le cuesta trabajo equilibrarse, haga el estiramiento cerca de una silla para poder detenerse con el brazo no activo.

### ESTIRAMIENTO DE PSOAS ILÍACOS

Asuma una posición en el tapete en la que esté descansando una rodilla con la otra pierna ligeramente doblada frente a usted. Mantenga la rodilla trasera abajo y mueva la cadera hacia adelante hasta que sienta que se estira la parte superior de su muslo, alrededor del frente de la cadera.

*(continúa en la siguiente página)*

## ESTIRAMIENTO DEL PIRAMIDAL

Comience a gatas, con las rodillas ligeramente más separadas que el ancho de la cadera. Acerque la rodilla derecha al hombro derecho y pase el pie derecho por debajo del cuerpo y enfrente de la rodilla izquierda, descansando en la parte exterior del pie. Ahora extienda la pierna izquierda hacia atrás, descansando la mayor parte del cuerpo en el lado derecho, sacando la rodilla y bajándola al suelo.

## ESTIRAMIENTO DEL ERECTOR DE LA COLUMNA

Arrodíllese en el piso, sentado sobre los talones. Ahora estírese lo más posible hacia adelante, manteniendo la cabeza alineada con la columna.

## ESTIRAMIENTO CON ROTACIÓN DE LA COLUMNA

Tiéndase de espaldas con los brazos a los lados y las rodillas flexionadas 90 grados, con los pies en el piso. Mantenga los hombros pegados al suelo. Ahora gire la cadera hacia un lado, dejando que las rodillas se muevan a los lados y toquen el piso. Mantenga los pies juntos durante todo el movimiento. Ahora gire lentamente en sentido contrario y deje que las rodillas toquen el suelo del otro lado.

## ESTIRAMIENTO DEL GLÚTEO

Tiéndase sobre la espalda y doble las dos rodillas 90 grados. Ahora cruce la rodilla derecha sobre la izquierda, de modo que el tobillo derecho esté contra la rodilla izquierda. Gire la rodilla derecha hacia un lado. Sujete el muslo de la pierna izquierda y tire de él hacia su pecho. Sentirá cómo se estira su glúteo derecho.

## ESTIRAMIENTO DEL PECHO Y DELTOIDES ANTERIOR

Ponga las manos detrás de la espalda y entrelace los dedos. Ahora trate de estirar con las manos lo más posible hacia atrás y hacia arriba.

## ESTIRAMIENTO DEL DELTOIDES POSTERIOR

Pase un brazo estirado horizontalmente contra el pecho. Sujete el codo del brazo estirado y acérquelo al pecho. Repita con el otro brazo.

## ESTIRAMIENTO DE TRÍCEPS

Suba un brazo y doble el codo permitiendo que la mano caiga hacia la espalda, lo más abajo posible. Puede incrementar el estiramiento si sujeta el codo con la otra mano y lo empuja hacia abajo.

## ESTIRAMIENTO DE CUELLO

Doble el cuello, sujetando su cabeza hacia un lado. Para comenzar, permita que el peso de la cabeza lleve a cabo el estiramiento. Una vez que esto se vuelva fácil, aplique una suave presión a la cabeza, tirando hacia abajo un poco más. Para aumentar el estiramiento, coloque el dorso de la otra mano en la parte baja de la espalda.

# Auto-masaje

El auto-masaje puede usarse como calentamiento para ayudar a aflojar los músculos e incrementar el flujo de sangre hacia ellos. También debe usarse como una herramienta para enfriar el cuerpo después del ejercicio, ya que ayuda a eliminar de los músculos los sub-productos del ejercicio, como el ácido láctico. Los ejercicios que aparecen en las siguientes páginas se realizan usando un rodillo de hule espuma y el balón medicinal. Si es nuevo en este tipo de auto-masaje, comience con los ejercicios con el rodillo, ya que son ligeramente más fáciles que los que se hacen con el balón medicinal.

### ESPALDA MEDIA Y ALTA

Coloque el rodillo de manera horizontal contra la pared y descanse la espalda media y alta contra él. Párese a 30 cm de la pared mientras se inclina contra el rodillo y hace sentadillas para moverlo sobre el área deseada. Conforme gane en experiencia, mejor será su colocación del rodillo.

### ESPALDA BAJA

Coloque el rodillo como en el masaje de la espalda alta (ver párrafo de la izquierda). Párese a 30 cm de la pared y realice un movimiento de sentadilla parcial mientras se apoya contra el rodillo. Estos movimientos parado pueden ser un masaje menos vigoroso porque no está usando todo el peso del cuerpo y aplica menos presión.

## PANTORRILLAS

Siéntese y coloque el rodillo debajo de las pantorrillas. Levante el peso del cuerpo con las manos, de modo que el peso de la parte baja descanse sobre las pantorrillas. Ahora haga girar el rodillo hacia arriba y hacia abajo para darles masaje. Haga girar los pies ligeramente hacia dentro o hacia afuera para dar masaje a diferentes partes del músculo.

## TIBIAL ANTERIOR

Póngase boca abajo y coloque el rodillo bajo las espinillas, con los dedos de los pies ligeramente vueltos unos hacia los otros. Levante el peso del cuerpo con las manos de modo que pase por sus espinillas. Asegúrese de no girar la posición de los pies, o le dará masaje al hueso en lugar de al músculo.

## ISQUIOS

Siéntese y coloque el rodillo debajo de los isquios. Levante el cuerpo con las manos de modo que el peso de la parte baja del cuerpo pase por los isquios. Ahora haga girar el rodillo sobre todo el músculo. Para hacer el masaje ligeramente más profundo, levante una pierna de modo que la que quede abajo reciba todo el peso.

## CUÁDRICEPS

Colóquese boca abajo y ponga el rodillo bajo sus cuádriceps. Levante el peso del cuerpo con los antebrazos y los cuádriceps. Mueva el rodillo hacia arriba y abajo por todo el músculo, asegurándose de evitar pasar sobre el hueso.

*(continúa en la siguiente página)*

## FLEXORES DE LA CADERA

Colóquese boca abajo y ponga el rodillo debajo de los flexores de la cadera. Levante el cuerpo apoyado en los antebrazos y coloque el peso en la cadera. Para llegar bien a estos músculos tendrá que girar el rodillo hacia un lado y luego repetir hacia el otro.

## BANDA ILIOTIBIAL

Colóquese de costado y ponga el rodillo debajo de la parte superior del muslo. Ponga la pierna de arriba sobre la de abajo y apóyese en el antebrazo. Ruede hacia arriba y hacia abajo entre la cadera y la rodilla. Mueva el peso del cuerpo hacia atrás y hacia adelante para llegar a distintas áreas del músculo.

## ESPALDA BAJA

Siéntese y coloque el rodillo debajo de la espalda baja. Flexione las rodillas 90 grados, con los pies bien asentados en el suelo. Levante el peso del cuerpo de modo que la parte superior esté alzada y el peso caiga sobre la parte baja de la espalda. Ahora cruce las manos sobre el pecho y ruede hacia arriba y hacia abajo.

## ESPALDA MEDIA Y ALTA

Siéntese y coloque el rodillo debajo de la espalda alta. Flexione las rodillas 90 grados, con los pies bien asentados en el suelo. Levante el peso del cuerpo de modo que la parte superior esté alzada y el peso caiga sobre la parte alta de la espalda. Ahora cruce las manos sobre el pecho y ruede hacia arriba y hacia abajo.

# Agradecimientos del autor

Hay muchas personas a las que deseo expresar mi agradecimiento. Por fortuna, la mayor parte de ellas cae dentro de uno de dos grupos de gente fantástica: familia y amigos. Mi familia me alentó a participar en deportes y ejercicios desde una edad temprana, y mis amigos me han ayudado a continuar en ese camino.

Un agradecimiento especial para Alasdair Lane y Rory Thornton por ayudarme a dar mis primeros pasos como entrenador personal, y para todos los demás fabulosos entrenadores personales con los que he trabajado a lo largo de los años, que gentilmente han compartido sus conocimientos y sus ideas conmigo.

Tengo una deuda de gratitud con todos mis clientes de entrenamiento personal actuales y pasados, que probablemente han sido la mayor influencia en años recientes y han ayudado en mi educación y desarrollo continuos, como entrenador y como persona.

Finalmente, pero no por ello menos importante, un agradecimiento para todo el equipo de Quarto que colaboró estrechamente conmigo, y para todos los modelos que ayudaron al éxito de este libro.

# Agradecimientos del editor

Todas las imágenes paso a paso y de otro tipo son propiedad de Quarto Publishing plc. Si bien se ha intentado dar el crédito apropiado a los colaboradores, Quarto pide una disculpa en caso de que haya habido omisiones o errores, y está en la mejor disposición de hacer las correcciones pertinentes en futuras ediciones del libro.

Un agradecimiento a Decathlon por haber proporcionado el equipo deportivo, y a Sweaty Betty por proporcionar la ropa para las fotografías.

## ESPALDA MEDIA Y ALTA

Siéntese y coloque el balón medicinal a un lado de la espalda media/alta, asegurándose de que no quede bajo la columna. Flexione las rodillas y levante el peso del cuerpo de modo que quede sobre el balón. Ahora cruce las manos sobre el pecho y muévase hacia arriba y abajo, repitiendo por ambos lados.

## ESPALDA BAJA

Siéntese y coloque el balón medicinal a un lado de la espalda baja, asegurándose de que no quede bajo la columna. Flexione las rodillas y levante el peso del cuerpo de modo que quede sobre el balón. Ahora cruce las manos sobre el pecho y muévase hacia arriba y abajo, repitiendo por ambos lados.

## GLÚTEOS

Siéntese y coloque el balón medicinal debajo de un glúteo. Flexione las rodillas y levante el peso del cuerpo de modo que quede sobre el balón. Gire la rodilla hacia afuera para llegar a diferentes áreas del músculo. Repita por el otro lado.

## PANTORRILLAS

Siéntese y coloque el balón medicinal debajo de una pantorrilla. Levante el cuerpo con las manos de modo que el peso de la parte baja del cuerpo caiga sobre la pantorrilla en el balón. Muévase hacia arriba y hacia abajo para dar masaje a todo el músculo. Repita en la otra pierna.

| 60 MIN | AVANZADOS | LEVANTAMIENTO ENERGÉTICO | | |
|---|---|---|---|---|

**RUTINA 120**

| Ejercicio | Página | Rep. | Series | Alternativa |
|---|---|---|---|---|
| Calentamiento | 40–43 | | | |
| Clean y flexión (estándar) | 142–145 | 4 | x4 | Clean colgado (estándar) |
| Flexión de piernas (estándar) | 100–103 | 4 | x4 | Peso muerto (difícil) |
| Flexiones de pecho con mancuernas (difícil) | 48–49 | 4 | x4 | Descenso de tríceps (difícil) |
| Flexiones de pecho con banda (difícil) | 50–51 | 4 | x4 | Flexiones (estándar) |
| Remo inclinado (difícil) | 62–63 | 4 | x4 | Remo sentado (difícil) |
| Escuadras (difícil) | 122–125 | 30 | x4 | Superman (difícil) |
| Estiramientos | 152–155 | | | |
| Auto-masaje | 156–159 | | | |

# Manténgase activo y saludable

Esta sección incluye útiles consejos sobre dietas, cambios saludables generales que puede hacer en su vida diaria y formas alternativas de ejercitarse. El objetivo es ayudarle a complementar sus rutinas de ejercicios e incrementar su salud en general y mejorar su estilo de vida sin tener que hacer cambios drásticos. También le ofrece valiosos consejos sobre cómo tratar lesiones comunes, un glosario de ejercicios y una plantilla de rutinas en blanco para que pueda crear sus propias rutinas personalizadas.

# Dieta, salud y ejercicio

En esta sección encontrará útiles consejos sobre cómo lograr y mantener una dieta y un estilo de vida saludables para ayudarle a alcanzar cambios positivos sustentables en la forma en que vive. Incluye información sobre alimentos y bebidas, como cuánto y cuando comer. Encontrará consejos para controlar la cantidad de alimentos que come. Si sigue estos sencillos consejos y los combina con su nuevo programa de ejercicios, estará más saludable y con mejor condición física. Estos consejos no sólo le ayudarán a alcanzar sus objetivos a corto plazo, sino que también le ayudarán a mantenerlos durante el resto de una vida más larga y saludable.

**Manténgase hidratado**
Evite la deshidratación llevando siempre consigo agua y bebiendo a intervalos regulares.

### BMR

Su índice metabólico basal es una indicación del número de calorías que su cuerpo necesita para funcionar totalmente durante el día sin que se cree ningún exceso o déficit calórico. Utilice los cálculos sencillos en la página 13 para determinar su BMR.

Una vez que sepa cuántas calorías necesita, puede planear su dieta de acuerdo con esto. Puede entonces crear déficits diarios mediante ejercicio y una reducción en la ingesta de alimentos que le permitan perder peso, o puede equilibrar una quema de calorías adicional mediante ejercicio con una ingesta ligeramente mayor de alimentos para asegurarse de tener la suficiente energía que le permita trabajar con un rendimiento óptimo.

### NIVELES DE HIDRATACIÓN

La hidratación es muy importante, por lo que debe asegurarse de mantenerse hidratado bebiendo de 1.5 a 2.5 litros de agua al día. Debe complementarla con frutas y verduras frescas, que también contienen un alto porcentaje de agua. Si se le seca la boca y le da sed, entonces ya está en un estado de deshidratación. Si le da hambre entre comidas, tome un vaso de agua; esto suele ser suficiente para suprimir el apetito hasta que llegue la hora de su siguiente comida o refrigerio.

### REGISTRO DE SUS PATRONES DE CONSUMO

Cuando vuelva a leer su diario de comidas (ver página opuesta), después de su primera semana de ejercicios, asegúrese de ver los patrones globales en vez de analizar ocurrencias de una sola vez. Trate de calcular los tiempos promedio relacionados con el consumo de alimentos, por ejemplo, cuánto tiempo pasa entre el momento en que despierta y el momento en que consume sus primeros alimentos. Cuanto más pronto coma y beba después de despertar, mejor se sentirá, ya que esto marcará el inicio

de los procesos metabólicos y lo preparará para el día.

Si siente ganas de un refrigerio poco después del desayuno, es probable que la cantidad que esté consumiendo o el tipo de alimentos no sean los correctos. Si agrega proteínas al desayuno, como carne magra, huevos o simplemente nueces y semillas en un plato de cereal, aguantará más tiempo sin tener que comer un refrigerio.

¿Come tentempiés dulces entre comidas? La gente recurre a menudo al azúcar cuando se sienten letárgicos o cansados. En vez de comer una barra de chocolate, pruebe un refrigerio con índice glicémico bajo como nueces no saladas, yogurt bajo en grasas, galletas de avena, duraznos secos o una pieza de fruta fresca. Estos refrigerios saludables liberan lentamente energía al torrente sanguíneo, y lo dejan con una sensación de saciedad durante más tiempo. Claro que hay otra razón para querer comer tentempiés dulces: ¡le gusta el sabor! Si es así, debe intentar reducir la ingesta. Cuanto más los reemplace con alternativas saludables, menos los extrañará. Piense a largo plazo.

Otro problema común es cenar muy tarde. La última comida del día debe hacerse al menos 4 horas antes de irse a dormir. Si este periodo se le hace muy largo, entonces puede comer un pequeño refrigerio de fácil

digestión . Si cena mucho o come comida muy pesada y difícil de digerir, como carnes rojas, desperdiciará calorías y afectará negativamente su sueño. Dormir mal no sólo afecta la recuperación del ejercicio, sino también hará que se sienta cansado al día siguiente, lo que a su vez puede provocar malas decisiones en las opciones de comida del día. Busque patrones y problemas obvios. No tiene que estar 100% correcto todo el tiempo para empezar a ver algunos cambios positivos.

## DÉFICIT CALÓRICO EN RELACIÓN CON CALORÍAS POR PESO UNITARIO EN KILOGRAMOS O LIBRAS

Para quemar medio kilo (una libra) de grasa, debe quemar aproximadamente 3,500 kilocalorías. Si ha ajustado su dieta mediante la reducción de 250 kilocalorías por día (1,750 kilocalorías por semana) y está realizando tres sesiones semanales difíciles de una hora a 600 kilocalorías cada una (para un total de 1,800 kcalorías), entonces creará un déficit calórico de aproximadamente 3,550 kilocalorías por semana, que equivale aproximadamente a medio kilo de grasa.

## Registro de un diario de comidas

Un diario de comidas sencillo debe incluir:
- Hora
- Tipo de alimento
- Tamaño de la porción (los detalles exactos no son necesarios, pero ayudan si están disponibles)
- Cómo se sentía antes de la comida (tenía mucha hambre, poca hambre, bajo de energía, etc.)
- Cómo se sintió después de comer (lleno, no satisfecho, hambriento, etc.)
- Cualquier otra nota.

Asegúrese de anotar también todas las bebidas, incluyendo el agua. Registre esta información durante una semana antes de analizarla, ya que la información de un solo día puede hacer que realice ajustes innecesarios.

| Comidas del lunes | Comida | Antes | Después |
|---|---|---|---|
| Desayuno 7:30 am | 1 plato de muesli con leche semidescremada 1 vaso de jugo de naranja 1 plátano | Muy hambriento | Lleno |
| Refrigerio 11 am | Galleta de avena 1 taza de café con leche | Poco hambriento | Satisfecho |
| Comida 1:30 pm | 1 sándwich de jamón y queso 1 plato de sopa de verduras 1 vaso de agua 1 taza de café negro | Bastante hambriento | Satisfecho |
| Refrigerio 4 pm | 1 bolsa de papas fritas 1 vaso de refresco | Ligeramente hambriento | No satisfecho |
| Cena 7 pm | Bistec con papas Ensalada verde 1 rebanada de pastel de zanahoria 1 vaso de vino tinto 1 vaso de agua | Muy hambriento | Satisfecho |
| Refrigerio 10:30 pm | 1 taza de té con leche 2 rebanadas de pan tostado | Ligeramente hambriento | Satisfecho |

**1 DESAYUNO**

**2 REFRIGERIO**

**3 COMIDA**

**4 REFRIGERIO**

**5 CENA**

**6 REFRIGERIO**

No considere que esto es una ciencia exacta, ya que ciertos factores cambiarán con el tiempo. Es sólo una guía aproximada que conviene tener a la mano.

## COMIDAS REGULARES Y REFRIGERIOS

Debe tratar de distribuir su consumo de alimentos de manera uniforme durante el día. Esto se logra mejor si come cinco o seis veces (ver figura anterior). Coma porciones más pequeñas en las tres comidas principales y tome un refrigerio ligero entre cada una de ellas. Su consumo de alimentos quedará entonces de la siguiente manera: desayuno, refrigerio, comida, refrigerio, cena y refrigerio. El desayuno es la comida más importante del día. No lo omita, y distribuya su ingesta de alimentos lo más uniformemente posible durante el día (para más información, vea Metabolismo en la página 13).

## EVITE LAS MALAS OPCIONES

Una forma excelente de evitar la tentación de alimentos no saludables y de garantizar que esté comiendo bien es tener siempre la comida correcta en su hogar. La forma más sencilla de lograrlo es yendo a comprar comida una vez a la semana. Cada vez que tenga hambre, tendrá un refrigerador lleno de comida saludable para escoger, y entre menos vaya de compras, menor será la posibilidad de que escoja un alimento no saludable. Esto es particularmente cierto si compra comida todos los días de regreso a casa del trabajo, cuando ya tiene hambre y quiere comer lo primero que ve.

Otra forma de ayudarle a evitar las malas opciones de alimentos es vincular los tentempiés no saludables con ejercicio pesado. Tome su barra de chocolate o bolsa de papas favoritas y vea el contenido en calorías.

| **Apunte las calorías de un tentempié** Si se tentado a comer un tentempié no saludable, trate de vincularlo a los minutos de ejercicio necesarios para quemar las calorías. Si de tomas formas decide comerlo, disfrútelo. | **Correr**  | **Nadar**  | **Pesas**  | **Caminar rápido**  |
|---|---|---|---|---|
| **300 calorías** | 28 minutos | 39 minutos | 57 minutos | 49 minutos |
| **200 calorías** | 13 minutos | 18 minutos | 26 minutos | 22 minutos |
| **220 calorías** | 22 minutos | 30 minutos | 44 minutos | 38 minutos |
| **295 calorías** | 30 minutos | 40 minutos | 59 minutos | 51 minutos |

# Cambios en la proporción de masa grasa / masa no grasa en un programa de 16 semanas

La gráfica siguiente muestra el resultado potencial de un plan de entrenamiento y dieta de 16 semanas. Es probable que 16 semanas parezca mucho tiempo, pero pasarán más rápido de lo que cree. Los cambios no son nada excepcional. La reducción ideal de masa corporal es de aproximadamente medio kilo por semana, pero debido al incremento de tejido magro (músculo, densidad ósea, plasma sanguíneo), la pérdida real de grasa es de más de medio kilo por semana. El beneficio adicional del tejido magro incrementado es el aumento subsiguiente del metabolismo, que significa que quemará más calorías diarias sin hacer nada diferente. La gráfica debe usarse únicamente con fines ilustrativos, pero si planea una gráfica similar de peso y masa corporal, debe tener en cuenta el cambio de composición del cuerpo y no sólo el cambio general de peso.

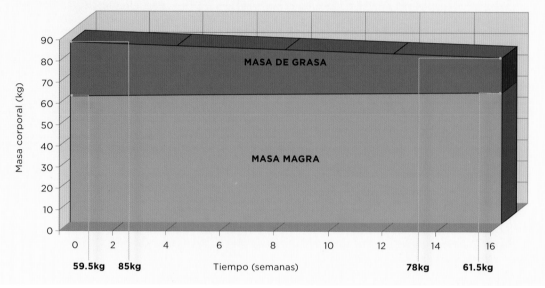

La mayor parte de las barras de chocolate contiene alrededor de 300 calorías, y un paquete de papas fritas contiene cerca de 200 calorías. Tal vez no parezca mucho si se considera el consumo total, pero cuando se piensa que hay que pasar 30 minutos corriendo para quemar las calorías del chocolate, o 40 minutos levantando pesas para quemar las calorías de las papas, tal vez esto le convenza de no son las mejores alternativas de alimentos. Esto no quiere decir que no pueda disfrutar de uno de estos tentempiés de vez en cuando.

## VALLES

Los valles son periodos de estancamiento sin avance o incluso con retrocesos. No se preocupe mucho por ellos. El cuerpo pasa mucho tiempo ajustándose a cambios. A veces puede parecer desalentador cuando cree que ha tenido una buena semana de ejercicio y dieta, pero resulta que ha aumentado de peso, o cuando ha estado haciendo pesas de manera constante y consumiendo más proteína sólo para descubrir que su masa muscular no se ha incrementado. No piense que su programa de entrenamiento y hábitos alimentarios no están funcionando.

Es por eso que es importante probar siempre los planes de entrenamiento y dietas durante al menos 4 semanas antes de hacer cualquier ajuste. Este periodo le permitirá darse una idea de cómo van las cosas. Si después de este tiempo considera que su programa de entrenamiento o la dieta no son apropiados para usted, puede hacer los ajustes necesarios, pero asegúrese de que los cambios sean sustentables y realistas. Cambiar su estrategia muy pronto o de manera frecuente sólo significa que no alcanza sus objetivos. Tenga paciencia, confíe en los métodos probados y obtendrá resultados positivos.

## CAMBIO DE VIDA, NO AJUSTE DE CORTO PLAZO

Casi todos pueden hacer cambios drásticos en su estilo de vida en una semana, pero para que los cambios tengan éxito deben ser duraderos. Es por eso que debe ser realista al establecer sus objetivos y su enfoque global. Asegúrese de que los cambios sean adecuados a largo plazo. Reducir su consumo de alcohol de 40 a 20 unidades es mucho más realista que tratar de dejar de beber, así como caminar a la oficina dos veces por semana es más realista que ir caminando todos los días. Para tener éxito debe hacer su mejor esfuerzo, pero de manera controlada.

# Evite las lesiones

Quienes hacen ejercicio de manera regular están expuestos inevitablemente a dolores y malestares. Algunos son signos positivos que son el resultado de las rutinas que están funcionando y del avance constante. Otros pueden ser signos de problemas potencialmente más serios, como lesiones por exceso de ejercicio o incluso otras más graves. Estos problemas no deben ignorarse nunca. Tratar las lesiones de manera adecuada y tan pronto como se presenten le ayudará a acelerar su recuperación y a reducir las lesiones en el futuro.

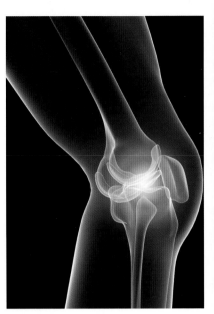

**Cuide su forma**
Las malas técnicas son la causa principal de las lesiones, por lo que se recomienda que lea los recuadros con este nombre en las descripciones de los ejercicios para asegurarse de que la técnica sea la correcta.

## CÓMO EVITAR LA MAYORÍA DE LAS LESIONES

La mayor parte de las lesiones pueden evitarse si se tiene cuidado al hacer ejercicio. El calentamiento y el enfriamiento adecuados le ayudarán a evitar no sólo las lesiones sino también los dolores. Al hacer ejercicio, asegúrese de empezar cada ejercicio nuevo con una mínima resistencia y de ir incrementando gradualmente. Utilice un espejo de cuerpo completo para vigilar su técnica y siga esta sencilla regla: si se ve o parece que lo está haciendo mal, ¡DETÉNGASE! Corrija su posición y postura y empiece de nuevo.

## PROTEÍNAS Y ELECTROLITOS PARA RECUPERARSE

Las proteínas son los reconstituyentes del cuerpo y deben consumirse después del ejercicio para ayudar a reconstituir los músculos tan rápido como sea posible, para fortalecerlos para la siguiente sesión. Algunos de los alimentos ricos en proteínas son huevos, pescado, leche y queso. También debe reemplazar sus electrolitos vitales después de una sesión de entrenamiento pesada bebiendo un producto que contenga electrolitos.

## QUÉ SON LAS AGUJETAS

Son un dolor muscular de aparición tardía que puede ocurrir de 12 a 48 horas después del ejercicio en la mayor parte de los casos. Si es novato en cuestiones de ejercicio, es probable que experimente estos dolores al principio, pero la buena noticia es que irán reduciéndose conforme mejora su condición física y obtiene más experiencia.

Sin embargo, seguramente experimentará estos dolores después de una sesión muy pesada o si intenta nuevos ejercicios que trabajen los músculos de manera diferente. Véalo como una señal de avance, Ya que significa que está esforzándose y avanzando.

El tratamiento para las agujetas varía con cada persona, pero en general los estiramientos y los movimientos ligeros de los músculos y articulaciones ayudarán al menos a mantenerlo en movimiento y a reducir el dolor. Si experimenta dolores severos de este tipo, evite ejercitar los músculos en cuestión de manera muy vigorosa, ya que corre el riesgo de lesionarse mientras los músculos se reparan a sí mismos.

## LESIONES POR EXCESO DE EJERCICIO

No son muy comunes y realmente tiene que ejercitarse mucho y no descansar para que se produzca una lesión por exceso de ejercicio. Este tipo de lesiones con las más fáciles de evitar, ya que depende totalmente de usted. Aumente de manera gradual los ejercicios que realiza y asegúrese de tener al menos dos días a la semana sin ejercicio.

Si empieza a sentir dolores recurrentes, trate de descansar la parte afectada del cuerpo durante un día o dos para lograr una mejor recuperación. Una de las mejores formas de evitar estas lesiones es mantener variados sus programas de entrenamiento cambiando la selección de ejercicios, el número de repeticiones y los rangos de las series.

## LESIONES SEVERAS

Si tiene la mala fortuna de lesionarse más seriamente durante el entrenamiento, deberá tomar las medidas necesarias para acelerar su recuperación para volver al entrenamiento sin mucha demora. Debe usar también esta pausa inicial en el entrenamiento para idear formar en su programa de ejercicios que le permitan seguir ejercitando otros músculos y articulaciones. Por ejemplo, si se tuerce el tobillo, no hay razón para no utilizar alguno de los programas para la parte superior del cuerpo, o bien puede crear uno propio con base en los ejercicios de la sección de la parte superior del cuerpo

en este libro. Lo mismo se aplica si se lesiona la muñeca o el hombro: evite los ejercicios para la parte superior del cuerpo y concéntrese en los ejercicios para el tronco y la parte inferior. No utilice una lesión como excusa para dejar de hacer ejercicio.

Si tiene una lesión de tejido blando (músculo, tendón o ligamento), entonces siga los consejos que se indican en la tabla siguiente. Úsela sólo como guía general. Consulte a un médico o a un profesional calificado.

## MASAJE Y AUTO-MASAJE

Una buena forma de recompensar su dedicación a un nuevo régimen es recibir un masaje profesional. No sólo es una actividad relajante sino que también ayuda a eliminar la rigidez muscular y los "nudos" en los músculos, lo que le permite recuperarse más rápido y le ayuda a avanzar.

Una forma más económica es masajear usted mismo los músculos adoloridos. Para ello puede usar un rodillo de hule-espuma (ver páginas 156-158). Coloque el rodillo en el piso y acuéstese sobre él, colocando el músculo específico o la parte adolorida sobre el rodillo. Luego levante una parte del cuerpo para que pase más peso por el rodillo y se cree más presión y un masaje más profundo. También puede utilizar pelotas de tenis para llegar profundo en áreas más pequeñas. Trate de masajear siempre hacia el corazón y evite masajear sobre huesos y articulaciones.

**Libere la tensión**
Recurra al auto-masaje para liberar la acumulación de tensión muscular y ayudar a prevenir lesiones.

## LESIONES DE TEJIDO BLANDO

**R**estrinja el movimiento de las áreas afectadas. Puede lograrlo si detiene todo el movimiento. Puede además usar un cabestrillo o soporte. Las diferentes lesiones requieren de distintas restricciones, por lo que debe consultar a un médico si no está seguro de lo que hace.

**C**oloque hielo sobre el área afectada para ayudar a reducir el dolor y evitar la inflamación mediante el cierre de los vasos sanguíneos alrededor del área. Los tiempos de aplicación varían, pero puede usar estos para su tratamiento:

■ Aplique hielo al área tan pronto como pueda. Envuelva el hielo en una toalla mojada y aplíquela a la piel (no aplique hielo directamente en la piel).
■ Mantenga el hielo durante 10 minutos y luego quítelo 10 minutos. Repita el proceso hasta dos horas. Debe hacerlo tan frecuentemente como sea posible en los primeros dos días, y dejar cuando menos dos horas entre cada tratamiento.

**C**OMPRIMA Inmediatamente después de la aplicación de hielo. Puede aplicar una banda de compresión al área y a sus alrededores. Reduzca la presión de la banda si nota niveles mayores de dolor o un cambio en el color de la piel al lado distal de la banda (el lado más alejado del corazón). Quítese la banda cada vez que aplique hielo o al menos cada 4 horas durante al menos 10 minutos.

**E**leve el miembro afectado para limitar el flujo de sangre al área y para mantener la inflamación al mínimo. Esta elevación limitará también el uso de los músculos en el área afectada. La elevación debe hacerse durante el mayor tiempo posible. Incluso al dormir conviene elevar el área, aunque sea mínimamente, colocando una almohada por debajo del miembro afectado.

# Glosario de ejercicios

En estas páginas encontrará explicaciones y definiciones de los términos y conceptos técnicos del acondicionamiento físico que se utilizan en este libro.

**Abdominales:** Músculos al frente del abdomen que forman el codiciado abdomen "de lavadero".

**Ácido láctico:** Es un producto secundario del ejercicio, y se sabe que causa calambres. Cuanto más difícil sea el ejercicio, más ácido láctico se produce.

**Banda iliotibial:** Músculo que se encuentra en la parte exterior del muslo, desde la cadera hasta la rodilla.

**Bíceps:** Músculos al frente del brazo.

**Biomecánica:** Los ángulos y movimientos de articulaciones y huesos.

**Braquiorradiales:** Músculo del antebrazo que ayuda a la flexión del codo.

**Circuito:** Sesión de entrenamiento que consiste en una cadena de ejercicios (por lo general más de 6) usando distintas partes del cuerpo con muy poco descanso entre las series. Este tipo de sesión usa la recuperación activa (ver abajo) para permitir a los participantes seguirse ejercitando sin descanso.

**Contracción isométrica:** Cuando el músculo se contrae pero no cambia de longitud, por lo que no ocurre ningún movimiento, por ejemplo, la posición de lagartijas pone los abdominales en un estado contraído, pero el cuerpo permanece inmóvil.

**Cuádriceps:** Grupo de cuatro músculos al frente del muslo.

**Deltoides:** Parte redondeada del músculo del hombro.

Deltoides anterior: Sección frontal del músculo del hombro.

Deltoides lateral: Sección del lado del músculo del hombro.

Deltoides posterior: Sección trasera del músculo del hombro.

**Dorsales anchos:** Músculos grandes a los lados de la espalda.

**Ejercicio compuesto:** Ejercicio que requiere mover dos o más articulaciones, como las sentadillas que requieren mover la cadera, las rodillas y los tobillos.

**Ejercicio de aislamiento:** Cuando sólo una articulación se mueve durante el ejercicio, por ejemplo, el curl de bíceps sólo se mueve a través del codo.

**Extensión:** Incrementar el ángulo en una articulación, como cuando se saca el brazo de una posición flexionada a una posición estirada. (Ver el opuesto, flexión, abajo).

**Flexión:** Reducción del ángulo en una articulación. Por ejemplo, al sacar el hombro de una posición estirada y pasarlo a una posición flexionada. (Ver el opuesto, extensión, arriba).

**Gastrocnemio:** Músculo en la parte posterior trasera de la pierna, arriba del soleo.

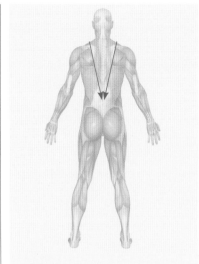

**Deslizar los omóplatos juntos:** Acerque los omóplatos mientras los desliza hacia abajo en la espalda.

**Glúteos:** Los tres músculos del trasero, gluteus maximus, gluteus medius y gluteus mínimum.

**Isquios:** Grupo de músculos en la parte superior trasera de la pierna.

**Lateral:** Los levantamientos laterales implican levantar el peso hacia el lado del cuerpo; para

**Sistema cardiovascular**
Los componentes principales del sistema cardiovascular son el corazón y los vasos sanguíneos que transportan la sangre por todo el cuerpo, después de pasar por los pulmones.

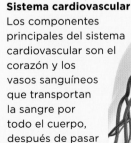
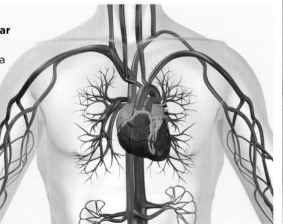

**Fibras musculares**
Un músculo está formado por muchas fibras musculares.

**Mantener la columna en neutral**
La posición en la que se encuentra la columna cuando está de pie, erguido, se considera su columna en neutral. Si en un ejercicio se le pide que mantenga la columna en neutral, significa que debe mantener la misma alineación de la columna durante todo el movimiento.

realizar este movimiento se usa la parte lateral del deltoides.

**Líquido sinovial:** Líquido que se encuentra en las cavidades de muchas articulaciones. Sirve para lubricar la articulación.

**Metabolismo:** Conjunto de reacciones químicas en el cuerpo que ayudan a mantener la vida.

**Movimiento de plano fijo:** Cuando el movimiento está limitado por una fuerza externa. Ejemplo, la mayoría de las máquinas para hacer pesas solo permiten que el peso se mueva en una dirección exacta, mientras que las pesas libres permiten moverse en cualquier dirección que las articulaciones permitan.

**Oblicuos:** Músculos al lado del abdomen; hay internos y externos.

**Pectoral:** Músculos del pecho: pectoral mayor y pectoral menor.

**Pelvis neutral:** Cuando el hueso de la pelvis está plano del frente hacia atrás. Es la posición natural cuando tiene una buena postura.

**Piramidal:** Músculo que se encuentra dentro de la cadera, debajo de los músculos de los glúteos.

**Psoas ilíacos:** Músculos que se encuentran en la parte superior delantera del muslo.

**Rango completo:** El movimiento máximo que un músculo o articulación puede alcanzar.

**Recuperación activa:** Es cuando usa un grupo de músculos durante una serie y luego realiza un ejercicio distinto usando un grupo diferente de músculos. Esto permite que los primeros descansen mientras los segundos se ejercitan. Esto significa que nunca se toma un descanso completo y se ahorra tiempo y se mantiene alto el ritmo cardíaco, como cuando se hace una serie de sentadillas seguida de flexiones. Esto permite que la parte baja del cuerpo descanse mientras la parte alta trabaja, sin tomar un descanso completo.

**Romboides:** Músculos formados por el romboide menor y el romboide mayor, que conecta el omóplato con la columna. Se encuentran debajo del trapecio.

**Soleo:** Músculo en la parte inferior trasera de la pierna, debajo del gastrocnemio.

**Tibial anterior:** Músculo que se encuentra al frente de la parte inferior externa de la pierna.

**Trapecio:** Músculo en forma de trapezoide en la parte superior de la espalda.

**Tríceps:** Músculo en la parte superior trasera del brazo.

**Tronco:** Son los músculos localizados entre la caja torácica y la pelvis.

### Postura neutral/columna en neutral

Es cuando la columna está alineada naturalmente, sin torsión. La columna en neutral lo pone en la postura neutral. Acostado de espaldas, puede encontrar la columna en neutral pasando los dedos entre la parte baja de la espalda y el piso. La columna está bien alineada cuando sus dedos están sobre el piso, pero tocando ligeramente la espalda.

# Plantillas para ejercicios

Cuando haya completado las rutinas, estará listo para crear sus propios planes. Utilice estas plantillas para idear rutinas adecuadas a su capacidad y objetivos personales. Fotocopie estas páginas para crear planes personalizados que pueda modificar cuando lo desee. Llene los detalles para graficar su progreso a lo largo del tiempo. Trate de completar todas las pruebas dentro de los siete primeros días a partir del inicio del nuevo régimen. Aunque no parezcan pruebas apropiadas para comenzar, pueden volverse relevantes en la medida en que cambien sus objetivos. Vuelva a hacer las pruebas cada 4 o 6 semanas para ver los cambios positivos que están teniendo lugar.

**PLANTILLA DE SESIÓN EN BLANCO**

| Ejercicio | Tipo | Página | Repeticiones | Series | Alternativa | Tipo | Página |
|-----------|------|--------|--------------|--------|-------------|------|--------|
|  |  |  |  |  |  |  |  |
|  |  |  |  |  |  |  |  |
|  |  |  |  |  |  |  |  |
|  |  |  |  |  |  |  |  |
|  |  |  |  |  |  |  |  |
|  |  |  |  |  |  |  |  |
|  |  |  |  |  |  |  |  |
|  |  |  |  |  |  |  |  |
|  |  |  |  |  |  |  |  |
|  |  |  |  |  |  |  |  |
|  |  |  |  |  |  |  |  |
|  |  |  |  |  |  |  |  |

**PLANTILLA DE PRUEBAS DE ACONDICIONAMIENTO FÍSICO PARA REGISTRAR RESULTADOS**

| Fecha: | | | | | | | |
|---|---|---|---|---|---|---|---|
| Ritmo cardíaco en reposo | | | | | | | |
| Masa corporal | | | | | | | |
| Altura | | | | | | | |
| BMI | | | | | | | |
| BMR | | | | | | | |
| Presión sanguínea | | | | | | | |
| Colesterol | | | | | | | |
| **Circunferencias** | | | | | | | |
| Cuello | | | | | | | |
| Pecho | | | | | | | |
| Cintura | | | | | | | |
| Cadera | | | | | | | |
| Muslo | | | | | | | |
| Pantorrilla | | | | | | | |
| Bíceps | | | | | | | |
| Antebrazo | | | | | | | |
| **Acondicionamiento cardíaco** | | | | | | | |
| Prueba= | | | | | | | |
| Prueba= | | | | | | | |
| Prueba= | | | | | | | |
| Prueba= | | | | | | | |
| **Resistencia muscular** | | | | | | | |
| Prueba= | | | | | | | |
| Prueba= | | | | | | | |
| Prueba= | | | | | | | |
| Prueba= | | | | | | | |
| **Otras** | | | | | | | |
| Prueba= | | | | | | | |
| Prueba= | | | | | | | |
| Prueba= | | | | | | | |
| Prueba= | | | | | | | |

# Índice